沙鐘屋

1881

THE TURNGLASS

蓋若斯・魯本 Gareth Rubin 著
吳妍儀 譯

獻給菲比

對倒　Tête-bêche（名詞）

一本書分成兩個部分，印刷時彼此背對背、上下相反。

詞源：法國文學。「頭對著腳」。

我最近買進一本「對倒」書。它是個誘人的玩意。兩則故事被印製成彼此倒置。一個人先讀第一個故事，然後把書倒過來，再讀另一個故事。這些故事彼此交織寄生。很誘人，而且我認為，也有一點奇異。

——何瑞斯．曼恩伯爵的信件，

一八一九年三月二十日

你現在就要走了嗎？天亮還有一會兒呢：
那刺進你驚恐的耳膜中的，
不是雲雀，是夜鶯的聲音；
她每天晚上在那邊的石榴樹上歌唱。
相信我，愛人，那是夜鶯的歌聲。

茱麗葉，《羅密歐與茱麗葉》，第三幕第五景（朱生豪譯）

第一章

倫敦，一八八一

西緬．李的灰色眼睛，從他企圖用來抵擋霍亂惡臭的方巾上露了出來。那是屍體在廉價客棧與停屍間裡腐爛的臭味。

「『國王』來敲門了。[1]」他咕噥道。

「我們不能叫它別的名字嗎？」他的朋友葛瑞恩這麼哀求，他把一條潮溼的圍巾包覆在他的口鼻上。「我不喜歡那個名字。那暗示我們欠它什麼。我們才沒有。」

「然而它是來索命的。」

「你認為會出現另一次大流行嗎？」

「我希望不會。」不，他希望這回只是個小型的地方性爆發而已。

為了追求治癒病患並讓健康之人安心的職涯，這兩個人耗費多年時光一起受訓，他們現在步行穿過寒士街，深入倫敦市在古羅馬時期的核心地帶。這條大街的建築物都致力於印刷

1 一八三二年霍亂在倫敦大流行，有六千多人因此死亡，從此被稱為「霍亂國王」（King Cholera）。

業——報紙與期刊，為日常生活中的密謀、喜悅與哀傷編目。沿著巷子中央延伸的陰溝裡，流動著墨水。

在他們抵達一起分租的住宿處時，西緬把他的遮臉用具扔到一旁。「我們需要找出它的弱點，」他這麼說。他用談論動物的方式來思考這種疾病，就像一隻得了狂犬病的狗。細菌小到眼睛看不到，卻又強到足以把一波又一波的男女與兒童拖進他們的墳墓裡。一個陰險的小謀殺犯。「每種疾病都有弱點。」

西緬．李醫師有細長的五官與修長的身形，他輕盈靈活地走上樓梯，到了他們的房間——說實話，是他們的簡陋閣樓——在一個印刷鋪樓上，鋪子裡的印刷機二十四小時不斷砰砰作響。然而這個地方很適合他，因為他可以在其他人多半在休息的時候工作。而且這裡很便宜，非常便宜。在他的研究因為缺錢而停滯不前好幾個月以後，他需要盡可能省下每一分錢。

「答案在那裡，我可以感覺它就在那裡，」他沒漏掉一拍，就接著說道：「該死，我們能夠防治天花已經一整個世紀了。為什麼霍亂不行？」他瞪著泥濘的內開窗[2]外。十二月煙霧下的銳利黑暗回瞪著他。

「你已經這麼說過不只一次了。你有點太執迷了。」葛瑞恩猶豫了一下。「你知道吧，你這樣會害自己在醫院裡不太討喜。」

「你真讓我震驚。」他根本不在乎那些經營國王學院醫院的老傢伙怎麼想。讓他們在聖齋爾斯周圍的貧民公寓跟住宅裡工作，他們可能就會有不同看法了。

他的朋友聳聳肩打發過去。「你打算怎麼找到你的奇蹟療法？」

「怎麼找？」這問題讓他幾乎失笑。「用錢找啊。我需要錢。我需要麥金塔獎助金。」他解開他的領帶，倒進他們從馬里波恩[3]一處人行道上搶救出來，曾被火燒過的長椅上。「在這同時，他們會在自己屋裡倒下，就好像現在流行黑死病似的。」他在被火燒過的椅子上扭轉身體，設法讓自己舒服點。「這條街上的窮人活到三十歲的機率，比我受封爵位還低。老天爺啊，如果羅伯森跟其他人願意聽人話，我們就可以盡點力了！」他的朋友沒打破這種氣氛，因此西緬開始起勁地痛罵國王學院醫學院的教職員，他們一再展現出他們全無能力接受一個新想法。「時間與金錢。要找到治癒方法就只需要這個。足夠的時間與足夠的金錢。」

他的憤怒是生於挫折。眼看著他整整三年的工作成果就要在他書桌上積灰塵，沒多少事情能比此事更讓他激憤。每個月，醫學院的獎助金委員會都對他的提案哼哼唧唧不置可否，同時又有更多的男女兒童屈服於這個疾病。

「你覺得你會拿到嗎？」

「就是我跟艾德溫．葛洛佛二選一。他想拿來做他的止痛研究。」

「他很聰明。」

「在紙上看確實是。從實際層面上看，他是蠢蛋。這一切全都太理論性了。沒去想你實際上要如何把一根針戳進一位女裁縫的手臂裡。」他惱怒地用他的指關節輕敲著桌子。葛洛佛天天待在蘇活廣場上一間精緻房屋的上層套房裡。他鮮少離開那裡。他不需要，可能也沒興趣。

2　內開窗（tilted window）打開時跟一般開關鉸鏈在左或右側的窗戶不同，鉸鏈在中間，打開時往內倒，上下可以流通空氣。

3　馬里波恩（Marylebone）是中倫敦西敏市的豪宅區，後面會提到的著名醫療街哈利街也位於這個區域。

「要是你沒拿到呢？」

「那麼，我的朋友，我就會到外面為了半便士掃大街了。」他拉了拉他前額的頭髮。

「聽起來很冷。」

「毫無疑問。」

葛瑞恩清清喉嚨。「艾塞克斯[4]的那份工作怎麼樣？會很值得。」

西緬訝異地揚起眉毛。「神啊，我完全忘了這件事。」前一天西緬才剛放下那封電報，內容就從他心頭溜走了。

「是你叔叔，對嗎？」

「不盡然是。是我父親的表親。」

「唔，這是有酬勞的工作。」

確實如此，卻不是很誘人的工作。「去照料一個鄉下牧師，他確信自己已經死到臨頭，就算他可能還健康到可以跟丹尼爾．門多薩[5]在擂台上打個十回合。」

「西緬，你需要現金。」

他鬱悶地思考著。這點絕對毋庸置疑。不過他覺得像個只為餬口的便宜雜工，治療的對象可能只需要「少喝點波特酒，偶爾輕快地散個步」這種藥方。然而那筆錢可以讓他的霍亂療法重啟進展。

「這是個選項，」他勉強承認。「但天知道我能從他身上弄到多少錢。一個鄉下教區牧師並不盡然在鈔票裡打滾。」

「這倒是。至少他為人好相處吧？」

西緬聳聳肩。「毫無疑問，就是那種安靜的老牧師，會花所有時間去讀宗教專論，內容談的是根據鄂雪主教[6]的計算，這世界有六百萬年歷史。」

「呃，狀況本來有可能更糟啊。屋裡只有他嗎？」

「喔，這個嘛。」西緬暗自竊笑。「事情就是在這裡變得相當……令人好奇。」

「怎麼說？」

「這是個家族醜聞。」

「醜聞？繼續說。」

「甚至連我自己都一知半解──我父親不願告訴我細節。我相信那位牧師的弟弟是在奇特的情況下，被他太太殺害的。我想，他們其中一個瘋了。我應該搞清楚的。確實，確實，這麼刺激的歷史也許可以調劑一下這份工作的沉悶。但是不了，我相信神的旨意，麥金塔委員會的回應會先來。」

第二天下午，國王學院一間會議室外面，西緬坐在一張打磨得光亮的硬質長椅上。艾德溫・葛洛佛衣著十分正式，坐在對面一模一樣的長椅上。

4 艾塞克斯（Essex）是英格蘭東部的非都會郡，就在大倫敦區的東北方。

5 丹尼爾・門多薩（Daniel Mendoza，一七六四─一八三六）是一七八〇至九〇年代知名的英國拳擊手。

6 厄雪主教（James Ussher，一五八一─一六五六）是愛爾蘭教會阿瑪（Armagh）教區大主教，也是全愛爾蘭天主教教會大主教。他努力要推論宇宙創生的時間。

「你還在研究霍亂，對吧？」

「對。還在做。」

葛洛佛沒別的問題了。

一名老門房慢吞吞地走出委員會會議室。「葛洛佛醫師？能請您來這邊嗎？」

葛洛佛跟著他進去。門關上時的砰然巨響，在走廊迴盪。

一小時後他現身了，看起來洋洋自得。西緬一看到就低聲咒罵；接著輪到他了。

他走進去，坐在五人小組面前的一張木椅上，闡明他治癒當代最嚴重疾病之一的計畫。

「李醫師。我們已經審查過你的申請與輔助檔案，」有一個人陰鬱地告知他：「我們心中一直浮現一個疑問。」

「先生，什麼疑問？」

「我們現在有什麼證據，可以證明你實際上將會有任何進展？」

這不是個友善的問題。「能請您說得具體一點嗎？」

「你的紀錄，」他低頭一瞥某個檔案：「似乎無足輕重。就我們的理解，事實上沒有產出任何東西。」

「我不相信這——」

「比方說，就不像另一位候選人的紀錄顯示，光在《刺胳針》[7]上面他就發表過兩篇論文。」在牆上的某處，卡在水管裡的空氣乒乒乓乓又嗚嗚作響。

「我對學術出版有最高的尊重——」

「然而我們從你的作品裡能看到的，就是一連串對更多經費的要求。」

西緬咬了咬牙，然後才開口回答：「先生，我相信投資會有值得的回報。」

「不過是什麼回報呢？而且要多少資本？」

「我想三百鎊就——」

「三百鎊？就為了一個目前只限於貧民窟的疾病？」小組裡的其他人發出一陣同意的嘟噥聲。

「住在那種地方的人都習慣了。他們生在那裡。他們會在那裡過完他們的人生。」

「如果您花了像我一樣多的時間跟他們相處，您就會知道他們之中許多人不要活在那裡會比較好。」

「您的意思是？」那老醫師問道。

「我的意思是，先生，我無法告訴您我看過多少不到五歲的小孩，注定只能過著短暫又充滿痛苦的人生。有時候會讓人很想此時此刻就讓他們夭折，而不是看著他們免不了的日漸衰弱。」

「唔，這是你跟上帝之間的事。在此我們關心的是你申請了一份獎助金。」

「當然。我為離題道歉。回答您精確的問題：我們一直無法從人類來源中找出值得當成疫苗的原料。我的主張是非人動物或許有可能製造出我們需要的原料。例如說，如果讓我們的最近親黑猩猩暴露到這種疾病中，然後抽取牠們的血液，這種血液或許能夠提供對抗病菌的保護。」

---

7 《刺胳針》（Lancet）是從一八二三年在英格蘭創辦發行至今的頂尖醫學期刊。

「所以現在他想讓我們全都在樹上盪鞦韆啦。」其中一個男人低聲嘀咕。

在西緬回到他房間的時候，他們用來當成桌子的大皮箱上有一瓶打開的濃紅酒。他喝乾它的殘渣，瞥了一眼他那位在自己床上輕聲打鼾的朋友，然後望向窗外。街道靜如墳墓。

這時他注意到酒瓶是放在某樣東西上：一份電報。前一天他打了一封電報給他父親，要求知道兩年前牽扯到他那些艾塞克斯親戚，讓人開始嚼舌根的謀殺事件詳情。回應來得很快。「你的責任純屬醫學性質，盡責就好，其他別管。就我理解，甚至在暴力發生前就疑似出現惡性犯罪。我不意外。沙鐘屋一直都有某種腐敗邪惡之處。把它留給上帝與法律。」

西緬禁不住要注意這個事實，他父親，一個通常不會詩興大發的人，竟說是房子本身「有某種腐敗邪惡之處」，而不是那一家子。這就怪了。

西緬從來不認識住在沙鐘屋的家族旁系遠親。他是在北方數百哩外的約克郡石砌街道之間長大的，也是唯一倖存的獨子，養大他的父母只偶爾對他有興趣，而且在他十歲時就把他送出門去讀書了。他父親，一位事務律師，有間枯燥乏味的事務所，替枯燥乏味的貴族打理需求，接受醫學是一種合理的專業，雖然西緬猜想他母親可能寧願他在哈利街[8]經營比較時髦的業務。她對研究與對抗傳染病的職涯不表贊同，但這種態度並沒有平息她兒子對此的渴望。

所以得去艾塞克斯了，他暗忖。

雷島[9]位於艾塞克斯海岸邊緣的鹽沼之中。它是，或者不是一座仰賴潮汐的島嶼——它事實上位在柯爾內與黑水河口灣的開口處。在高潮時它相當與世隔絕，座落在島上的整棟房子感覺漂蕩而孤立。注入內陸與雷島之間的海洋，上面覆蓋著一層地毯似的糾結馬尾藻，就像無數溺斃男子的手指。海草照自己的速度漂流穿過河口灣的水道，上溯到內陸的佩登村；當地酒館佩登玫瑰[10]外面的水池，一直被那些採蠔人當成儲藏櫃，他們靠著從歐陸帶來、卻沒付高昂貨物稅的白蘭地與菸草來貼補收入。水池底部是木頭做的，可以拉起來把水放乾，露出密藏在池中，外面裹了焦油的酒桶。這些酒桶供應柯契斯特[11]所有酒館的葡萄酒，以及所有縫紉用品店的蕾絲。

說真的，艾塞克斯幾乎收不到一毛貨物稅，就算全國四分之一的可徵稅商品都是從那個郡輸入的。別以為那些稅務員不知道這種交易，在幾年前的某天早上，他們之中的二十二個人在一艘船上被發現，喉嚨全被割開了，從此以後，他們的朋友們就很不願意打擾當地的零售商了。

在雷島旁邊座落著相鄰的島嶼莫西，面積是雷島的十倍大，上面有五十多戶住家跟一個被稱為硬灘的鵝卵石海灘。金花海蓬子與紫色的補血草妝點著兩座島嶼，它們都有靠黏土包裹起來的碎石基底，吸引濱水鳥類與水生鳥類，像是蠣鷸跟麻鴨。

---

8 哈利街（Harley Street）是中倫敦馬里波恩的一條街道，滿街都是各式各樣的內外科專科診所與醫院，是著名的醫療街。

9 這個島實際存在於艾塞克斯郡，位置如書中所述。

10 佩登玫瑰酒館（Peldon Rose Inn）是真實存在的古老酒館，最早的營業登記甚至可上溯到一四五四年，現在也還在營業。

11 柯契斯特（Colchester）在艾塞克斯東北部，是該郡第二大城鎮，在羅馬殖民英格蘭的時代就已建立，號稱是英國最古老的城鎮。

然而這些島嶼的人類訪客必須小心。

在低潮時刻，從內陸延伸出來的一條狹窄堤道，史楚道[12]，會從分開的海水中顯露出來。它通往雷島，橫跨這座一哩寬的島嶼，然後繼續通往莫西島。但任何走上這條路的人都必須確定他們查過潮汐曆了。危險的不只是跟島上的偏僻房屋一起受困於雷島，更嚴重的是，如果有任何人在海水上漲時卡在史楚道上，就有被馬尾藻抓住的風險。從羅馬人首先進駐雷島開始，幾乎每年都至少有一名男女被那些野生海藻纏住。它們靜靜地飄浮在那裡，不出聲，不抱怨，它們的手緩緩地交握。

輕便兩輪馬車在佩登玫瑰外面放下西緬的時候，他可以聞到風中的補血草香氣。馬車夫在路上笑呵呵地吹噓當地不怎麼合法的事業，西緬剛好往水池裡看，卻只看到混濁的鹽水。不過，空氣本身就嘗得到鹽味了。這種空氣在他喉嚨深處帶來一點灼燒感，他有兩三次試著用吞嚥來擺脫這種感覺，告訴自己，他很快就會習慣這種感覺，當成是風土的一部分。

「午安，先生，」他聽到這句話。酒館老闆，一個精瘦結實、兩鬢留著大把側鬚的傢伙，就站在門口，抽著一支長菸斗。「倪要進來嗎？」

「要，而且很樂意。」西緬快樂地回答，把他的旅行袋提到肩膀上，用他還空著的手拿他的黑色皮革醫師包。

「那好。倪會想吃點啥配個啤酒吧，我猜想。」

「那聽起來非常好。」他打量了整棟建築。這是一間寬大、單層的鄉間酒館，在冬季的淡灰光線下被刷成一種沉悶的灰色。他餓了，從柯契斯特車站到這裡的一小時車程裡，是對熱騰騰食物的渴望在滋養著他；這趟路是為了去會見並治療教區牧師奧立佛．郝茲——實際上是郝茲博士，這位紳士是一位神學博士。

「倪就進來吧，小伙子。」

他愉快地接受了。

酒吧間裡擠著七八個穿著漁夫服裝的男人。每個人都在抽又長又細的白菸斗，跟店主的一樣。西緬納悶地想，他們是否能靠某種辦法分辨自己跟朋友的菸斗。也有三名婦女到訪此地，在角落裡組成了命運三女神，靜默地檢視著他。

「進來啊，小伙子，」店主又說了一次。「玫瑰酒館總是熱誠歡迎訪客。把倪的袋子放下吧。這就對了。珍妮！珍妮！來點麵包跟十二顆——不，十六顆牡蠣。他看起來很餓。姑娘，動作快。」他沒打算問點單是否符合他這位新顧客的需求。幾秒鐘內，珍妮，一個約莫十歲的女孩，就帶著麵包跟一堆牡蠣出現了。店主遞來一壺小啤酒[13]，然後揮手要西緬站在吧台邊吃。整間酒館似乎在等著他開始吃，或者宣布他的來意。他選擇從食物開始。不過如果他原本預期他進食的時候對話就會恢復，他就錯了。空氣仍舊寂靜，只有他或者另一個人喝麥芽啤酒的聲音。十分鐘後，他吃完他的餐點。

「這樣是四千令，三便士加一個故事。」店主告訴他。

12　史楚道（Strood）這個詞彙在盎格魯薩克遜古英語裡的意思就是泥沼地。

13　小啤酒（small beer）另稱桌邊啤酒（table），是一種淡啤酒，通常是低溫發酵的儲藏啤酒（lager）或溫發酵的麥芽啤酒（ale），酒精濃度在〇點五至二點八百分比之間，從中世紀起就是歐洲人吃飯時佐餐之物。

西緬咯咯發笑。「那會是什麼樣的故事呢？」

「告訴我們倪來這裡做啥。」

這似乎純屬善意，而不是某種警告，所以西緬滿不在乎地回答了。「我是個醫師。我正要去照顧我的一位親戚。」

「那麼是誰啊？」

西緬納悶地想，他們是如何稱呼或者指稱幾乎是他叔叔的人。「郝茲博士。」

「郝茲教區牧師！」店主的眉毛立刻揚起，房間裡響起一陣隆隆低鳴。「倪是他親戚啊。」

「我父親是他的表親。」

「真的啊？從沒想過教區牧師在這以外的任何地方還有家人。」

「我自己其實從沒見過他。」

「確實不會，唔，如果倪不是莫西或者佩登人，倪就不會見到他了。我聽說他病了。」所有人一陣嘟噥，不過店主顯然是他們全體的發言人。

「我今晚會見到他，就會發現是不是這樣了。」

店主不放心。「等到早上吧。潮水進來了。」

「真的很感謝您，」西緬回答：「不過我必須今晚去。郝茲博士在等我。」

「莫蒂，你會帶他過去嗎？」酒館主人問那夥男人裡的其中一個，他們大大方方地在聆聽這段對話。

「我是擺渡人，」莫蒂主動說明。超過六十歲的小個子，不過身形強健，一個在艾塞克斯周圍的溪流與海洋划船的人勢必如此。「擺渡人，我。」

「你看來是個好手。」

「但我現在要回家了。去烤火。」

「現在走史楚道安全嗎？」店主問道。

「可能吧。拖不了多久，不過過得去的。」

「喔，我覺得這樣就行了，」西緬說。他想上路了。「能請您替我指路嗎？」

酒館裡滿滿的人瞥向窗外。沒有下雨，不過現在已經過了六點，完全陷入冬季的黑暗中。

「你會需要一盞燈。」店主說，聽起來很不確定一個來自城市——可能是倫敦——的年輕人，會不會連要帶這種東西都不知道。

「我有一盞。」

「涉水靴？」

「我不知道需要準備。我會應付過去的。」他低頭看他的皮革及踝靴。唔，反正它們的巔峰已過。

「那就看倪怎麼進行啦。那邊直走。馬路會變成史楚道。你一踏上雷島，就不可能找錯地方。沙鐘屋是島上唯一的房子。」

他滿意了。「這是個怪名字。那個地方怎麼得到這個名字的？」

「倪進去時看看風向標。倪會知道的。」酒館主人遲疑了一下，就好像在決定是否要開啟一個困難的話題。「這老頭不壞，郝茲教區牧師。有時候有點怪。不過在出事之後一直對他弟媳很好……呃，你知道那件事吧？」他似乎是在試探西緬確實知道多少。

家族醜聞。這些人知道的肯定比他還多。很值得談談，他心想。

「是，我知道她殺了他弟弟。」

發現這一點讓店主看起來稍微輕鬆了一點。「對沒錯。就是那樣。不希望你聽了嚇到。」

「沒嚇到。」他父親曾告訴他很單調直白的枝節，不過對於佛羅倫斯確切來說怎麼殺了她丈夫詹姆斯——奧立佛的弟弟——卻講得很含糊。「不過確實發生過什麼事，我還一無所知。」

「一無所知啊？」他聽起來有點懷疑，在琢磨他的回應。「問莫蒂。」

莫蒂對西緬怒目相向。「所以說，你不知道了？」

「不，其實不知道。」

莫蒂聳聳肩。「喔，那是你的家人。你家的事。」這麼想挺怪的：這男人說得對——這是他家的事，就算他從來沒見過任何一位當事人。家族，他心想，可以是奇異連結的泉源。「我帶著那具屍體——倪叔叔詹姆斯，或者隨便倪怎麼叫他——離開那棟房子。死相很恐怖。」西緬感覺到一股好奇，專業上與人性上的。「浮腫的臉。黃黃的。髒東西已經跑進去了。」他頓了一下。「小伙子，倪會說是幹染。」他小心翼翼地唸出那個詞彙。

「什麼感染？發生什麼事？」

莫蒂聳了聳肩，就好像在講述一個人人耳熟能詳的故事。「她割傷他的臉。砸了個玻璃瓶過去，然後玻璃破了。髒東西跑進去。他身上的肉變得這裡一片黑，那裡一片黃。」他指著他自己的臉頰跟下顎。「整個腫成豬頭。」

所以佛羅倫斯割傷詹姆斯的臉，傷口深到足以讓他血液中毒喪命。這肯定是相當嚴重的攻擊。

「在那之前他長得很帥的，」命運三女神之一喊道。「全郡第一。」

「她為什麼這麼做？」西緬問道。表現出這種興趣很不得體，但其他人個個知情，他為何不行？

莫蒂哀傷地搖搖頭。「從沒問過。在這裡出事真糟。不想探問得太深。我只是把棺材放進船裡，划到佛利[14]，然後把他搬進聖瑪麗教堂。他現在埋在六呎黃土下了。倪有任何問題就去問他吧。」

「莫蒂。」命運女神警告他。

「唔。」他陷入沉思，啜飲了一點他的酒。他們都跟他同步，於是出現一陣停頓。「知道佛羅倫斯太太現在在哪嗎？」

「不。」

莫蒂輪流掃視他的每位朋友。他們回應了他沉重的視線。「倪很快就會知道了。」

---

14 佛利（Virley）是柯契斯特南方七哩處的一個小村莊，村裡的聖瑪麗教堂後來在一八八四年毀於地震，廢墟至今尚存。

第二章

在西緬感謝他們所有人的建議並付清帳單的時候，那些話還在西緬耳中迴盪。他走到外面再度出發，踏上會延伸成史楚道的唯一一條馬路時，他再度感覺到鹽刺激著他的喉嚨深處。酒館已經在他身後，在夜空之下他覺得相當形單影隻，而他享受著這短暫的孤寂。

地面變得柔軟，警示著這裡有塊沼地，小徑旁邊的草皮很快就變成滲水的糊狀物，來自玫瑰酒館的光線在它黑色的表面上閃爍。對他來說，它們看似來自燈塔的信號，來回飛掠。接著他就踏上史楚道本身了。它的寬度只夠讓一個男人通過，而在它的盡頭，他分辨出一個寬大的黑色團塊，上面沒有任何閃爍的反射光：雷島，他的親戚等著他的地方。

他踩下的每一步，似乎都在泥巴裡陷得更深。堤道兩旁閃閃發光、猶如玻璃的水，嘲弄著他艱辛的進展。他的腳跟陷了下去，接著是他的腳，然後是他的腳踝。他開始擔憂他的膝蓋也會陷下去，然後他就會被困在那裡，直到浪潮升高到超過他的肩膀。不過他選擇信任莫蒂的評估：這條小徑剛好足夠堅實。他繼續全速前進，然後一點一點地，路變得比較堅固了，他終於踏上了紮實的陸地。

雷島，隨著潮水來去的島嶼。

他打開他的油燈燈焰，光束掃到遠處的地面。他從一位船舶用品商那裡買到這盞燈，那人向他保證，無論在哪裡，這都是他能找到最強勁的燈了，強勁到足以讓相隔一哩的船隻找到彼此。

燈光揭露的是一片荒涼之地。死沉的荒涼。為何會有人想在這裡定居？他納悶地想。

他抬頭看。一簇黯淡的星星散落在天際；不過地平線上有一片真空，那裡的星星被遮掉了，某種黑而寬的東西隱約出現在吸飽水的地面上。沙鐘屋，雷島上唯一的建築。

接近它的尖端，有單單一個明亮的窗戶，那是有人居住的唯一徵兆。

西緬靠近了些，然後用他強勁的油燈光束掃遍這棟房子，發現它有三層樓高，寬度等同於一棟倫敦城郊住宅。站在它旁邊的東西看似一間小馬廄。對一個鄉下牧者[15]來說是很寬敞的家，雖然就算在最明媚的春日，這裡的景緻肯定依舊陰沉。

沙鐘屋。他想到酒館主人的指示，要看風向標以便理解名稱由來。他往上凝望著屋頂，盡可能調整那盞船舶燈的照射角度，確實看到一只不尋常的風向標。它的形狀像個沙漏，有一道沙流如瀑布般地落下，從一個流沙池流向另一個流沙池；但那風向標不是用金屬構成的，而是完全用玻璃做成，在光束下閃爍著。它肯定是鉛玻璃，才經得起它一直承受的風吹雨打。在他的注視下，風向標無精打采地旋轉，發出一聲哀鳴。風向必定是在轉變。

抵達房子的時候，西緬發現磚牆上突出一個老式的拉鈴索。他用力一拉，裡面響起了相應的鈴聲，然後是腳步聲跟門閂被往後拉的聲音。在雷島上為什麼要鎖門呢？他很納悶。誰會不請自來？

「李醫師嗎？」一位活潑豐滿的管家站在一旁，而他可以感覺到從寬闊走廊猛然襲來的暖意。

「是的。」

「先生，您不進來嗎？」他欣然從命。

這棟房子似乎是一百年前裝潢的。早已作古的詩人胸像沿著一面牆列隊，還有一大張男士們打獵的油畫被安置在樓梯上方。然而最引人注目的畫，是一張掛在火爐上的肖像，展示出一位非常健美、有著豐厚棕髮的女性，站在一棟閃爍發光的房子前面。

「先生，我是泰伯斯．伊萊莎．泰伯斯。」

西緬放下他的手提包。「這裡還有別的僕人嗎？」

「有的。還有肯恩，彼得．肯恩。他是男僕兼園丁，還包辦其他所有事情。我們都住在外頭，先生。住莫西。我日出後才來點燃爐火，常態下我會在七點左右離開。肯恩是八點到五點。」

是的，很難吸引太多人來住像這樣的地方——距離最近的村莊才一哩，卻還是偏遠孤立，隨大海的意思擺布。

他把他的外套交給她。她把外套放在一張桌子旁邊的櫥櫃裡，那張桌上擺著雜亂堆放的燈與生鏽的鑰匙。「能請妳帶我去見郝茲博士嗎？」

「馬上帶您去。」

她帶著他爬上樓梯，沿著一條所有表面都覆蓋著毯子、布幔或壁飾的走廊前行。這一切都

15 這裡原文用的是curate，原意是醫治（cure）靈魂之人，可以同時指涉副牧師與助理牧師，教區牧師（parson）則是正式的職稱，指涉的是負責管轄某個教區的牧師。Curate有一種譯法是「堂區牧師」，但這個說法乍看分不出跟教區牧師有什麼區別，徒增混淆，所以在這個故事裡勉強意譯為「牧者」。

更加強了一種奇特的氛圍：這裡的空氣凝滯不動，每一步都沉重而無聲。他發現，樓上的長廊旁有三扇門，每扇門都鋪上了有色的皮革：綠色、紅色與藍色。在盡頭還有另外兩道門，是普通的木門。

他們停在綠門外，管家敲了敲門：輕敲三下，接著重敲三下。她得到的回應是屋裡傳出一聲痛苦的呻吟。收到這個信號，她就讓西緬進去。

他見到的是個異乎尋常的景象。一種夜間教堂似的黑暗，被光線的手指給戳穿；那光線來自房間中央八角桌上的一盞油燈，遮光燈罩半開半闔。牆上有煤氣燈，不過沒有點亮。反而是來自那張黃銅桌子的光束蛛網，讓西緬看到他置身於一間圖書室裡——不過，跟他獲准進入的極少數豪宅圖書室相比，這一間還是相當不一樣。

它有完整的兩層樓高，幾乎到了這間屋子的屋頂，每一層樓都有一排窗戶。房間周圍的梯子讓人可以拿到每一面牆上從地板排到頂端的書本。他領悟到他剛才爬的樓梯只通往這棟房子的二樓，所以它一定是沿著一個峭壁似的上層被建成這樣的。這裡會是愛書人士的天堂，厭惡文字之人的地獄。

房間裡有放了成堆書籍的閱讀桌跟置物桌的剪影。椅面很深的座椅被選來當成啃書用的平台。它們被安排成某種圓環狀，而圓環中央是一張沙發，上面有個瘦而禿頂的四十來歲男子，但已經重回打瞌睡的狀態，他身旁是那張八角桌跟桌上的燈。房間另一頭完全籠罩在陰影中，但有道油燈的閃爍反光，就像外頭黑水上的燈光，暗示著那裡有一片寬大的玻璃。

「郝茲博士。」管家清了一下嗓子。

緩緩地，男人的眼睛在厚重的方形眼鏡後頭睜開了。「哈囉？喔，」這年長男人的聲音顫抖著。「喔，你肯定是溫斯頓的兒子。」

「我是，先生。」

「喔，我很高興你來了。真高興。過來，過來。」他有著和善的聲調，試著招手要西緬來他這邊，不過他的手動作到一半就放棄了。

西緬走近，伸出他的手掌。病人輕柔地抓住，然後與他握手。「先生，我能開始替您檢查嗎？」西緬問道，很好奇他透過疾病或者疑病症可能會發現什麼。「在我檢查的同時，我們可以談話。」

「檢查我？喔，好，好。當然。」

「我可以打開煤氣燈嗎？」

「我很抱歉，我覺得它們的燈光刺眼得讓人痛苦。我偏愛油燈。」

「當然可以。」在西緬打開他的醫師包，拿出他的聽診器時，僕人退下了。「現在，可以請你告訴我哪裡有問題嗎？」

「我，喔，我怕我可能就快死了，」牧師悄聲說道。「我的心臟，你知道，我有盜汗跟疼痛。全身都痛。我的關節，我的內臟都在痛。我的頭。而且我的牙齒打顫得成這樣。然後我又一直覺得冷。」

西緬心想這房子很溫暖。爐柵裡沒有火，所以一定是會在整棟建築物裡透過通風口散發熱氣的其中一種系統。「我要聽聽你的心臟，然後我會了解一下病歷。」他解釋道。病人照要求打開他的襯衫。西緬對於疾病純屬想像的預期被打壞了，那塊肌肉確實不健康。它會疾馳個幾秒鐘，然後不規則地亂跳一陣，接著是低沉的砰然重擊。不妙，他暗忖。「這種狀況何時開始的？」

「喔，現在讓我想想。對，是星期四。儘管偶爾覺得身體發冷，我通常很強壯。但那天一醒來，我就感覺到我的頭一陣陣劇痛。我臥床休息，心想這只是很不尋常的惡寒。今天我更糟糕了——疼痛摧毀了我，我不能站也不能睡。」

那就是病了五天。肯定比普通的感染更糟。如果他們在倫敦城裡，西緬就會立刻指向霍亂國王。不過在這樣人口稀疏的海岸，這是聞所未聞的。痢疾？地面是沼地，不過在這些地區這種病早就被根除了。

「你有吃任何不尋常的東西嗎？或許是沒煮熟的肉？」

「沒有。說真的，我肉吃得很少。我覺得肉太過刺激血液了。」

「我懂了。也許是你的管家替你準備過某些不常見的蘑菇？」

「完全沒有。簡單的麵包、起司，偶爾有魚或者羊肉，普通的蔬菜。就這樣。而且泰伯斯太太跟肯恩在相同時間吃相同的菜——我們家中人少，分開準備餐點沒什麼意義。」

「你喝酒嗎？」

教區牧師看起來有點難為情。「我通常會喝一點點白蘭地當睡前酒，不過從我開始生病以後，就沒那個胃口了。」他揮手指向房間一角的一個小酒桶。旁邊擺著一把銀勺，準備用來舀酒。看來在這些地區，稅務官害怕涉足之地，就連牧師都從酒桶裡喝酒。

「我想現在最好遠離酒精，」西緬說道。「所以不能再喝睡前酒了。」一個聲音，一種輕微的吱嘎響聲，讓他把頭轉向房間陰暗的那頭。

「你說了算。」

對於這位牧者的疾病，西緬根據他能從醫學院教育與執業過程中打撈出的記憶，過濾了每一種潛在的病因。似乎沒有特別明顯的原因。然而壞掉的食物或飲料仍然是最有可能的罪魁禍首，所以他預期他會在病人康復期間，待在那裡兩三天。然後他會回到倫敦，多幾個基尼，更接近重啟他的研究。「我會給你一劑補藥，希望那能讓你迅速恢復健康。」他很有信心地說道。

「你說了算。畢竟你才是有資格的那一位。」

西緬對教區牧師愉快的態度露出微笑，並從他的醫師包裡拿出一個瓶子。他把一份補劑倒進平底杯裡。它被喝了下去，苦味引來一聲輕微的咂嘴聲。「我會親自監督你的餐點準備。或許有某種你的管家沒注意到的東西。」

「她忠心服侍我二十年左右了，」較年長的男人說道：「這不會是刻意的。」

西緬皺起眉。「不，我確定不會是。」他一時之間納悶地想，為什麼郝茲博士會想到這種可能性。

「對年輕男子來說，倫敦肯定是最刺激的城市吧。」教區牧師用很隨意的口吻說道。

西緬心想，他從這位神職人員的聲音裡察覺到輕微的嫉妒了。「它確實振奮人心。不過有時候人寧願過清靜的生活。」

「恐怕雷島跟莫西島不可能被描述成振奮人心，」年長男子說道：「但我希望你會逗留幾天。」

「直到你好轉為止。當然。」從圖書室看不見的那頭又傳來一個吱嘎響聲，讓他疑惑是否有某隻寵物藏在陰影中，他又往那裡瞥了一眼，卻辨識不出任何東西。

「我們還沒討論到你的費用。一天五基尼夠嗎？」

「這樣非常慷慨。」西緬盯著周遭包圍他們的書架。「告訴我，你這裡有多少書？」

「書？喔，我猜三千本。」

「對一間圖書室來說是很適當的規模。我——」在幽暗中傳出一個比較大的聲響讓他嚇了一跳，打斷了自己的話。「那是什麼聲音？你養狗嗎？」

「狗？老天爺啊，沒有。」郝茲牧師一臉迷惑，抬頭凝視著他的親戚。「你不知道嗎？喔，我本來以為如果你先前不知，在佩登玫瑰也會有人告訴你。」玫瑰酒館顯然是當地社交情報交換中心。「嗯，你最好拿著燈自己去看看。」這樣迂迴曲折的告知方式，讓西緬微微起了疑心。他從桌上舉起油燈，燈向周圍不超過兩碼的地板拋出刺眼的黃光，照亮了一疊疊的書跟一連串的地毯——來自波斯或者土耳其，品質優良。他朝著房間黑暗的那端走去。「不過小心點，孩子。」年長男人提出警告。西緬移動時，再度看到光束在一個像是河口灣黑水的反射性表面上閃爍。玻璃。房間盡頭確實是一大片玻璃板，而來自油燈的光線似乎在它的光澤上飛掠過去。然後是另一個聲響，這次是窸窣聲，從那裡發出。他在如鏡的黑暗窗格上看見自己的倒影，手中拿著油燈往前走。

隨著他的靠近，燈光正好落在玻璃底部，迅速拉高照亮它的整體高度。而光線揭露的東西看起來真的很奇特。玻璃板不是房間盡頭的牆壁，而是一個透明的隔板，介於奧立佛．郝茲牧師與他那三千本藏書所占據的部分，還有另一個較小的區塊之間；那個區塊跟公共區域是隔絕開來的。

「這相當不尋常。」西緬說道。

「這是必要的。有這麼強烈的怒火。」

什麼怒火？西緬很納悶，同時檢視著陰暗朦朧的玻璃片。

突然間，某樣東西，一塊顏色蒼白的補丁，出現在玻璃後面：一個月亮似的碟子撤退到黑暗中，然後消失了。而某樣綠色的東西在靠近地板的地方閃動。他剛才看到了什麼？這不是——？他有個想法，但這想法本身似乎就瘋了。

他揚起他的油燈來確定事實。光線掙扎著穿透黑暗的鏡子，但他把燈直接壓在玻璃表面上，光設法滲透過去。它照亮的場景讓他全身發冷，因為封在玻璃隔板後面的是一張寫字桌，一張用來吃飯的餐桌，單單一把椅子，一張法式躺椅，還有一個個排滿了書的書架。而靜止不動坐在躺椅上的，是一名穿著淡綠色連身裙的女人；她有著深色的頭髮跟更深色的眼睛，那雙眼睛靜靜地盯著他的眼睛。

他注視著她，她的虹膜鎖定了他的，她的身體幾乎微不可察地隨著她的呼吸而起伏。她的嘴唇分開來，就像是要說話。

「你知道我弟媳的事？」郝茲牧師的聲音似乎從很遠的地方傳來。女人的嘴唇再度閉上，拉成一個斜斜的譏諷微笑。然後她把頭偏向一邊，視線繞過西緬，瞥向牧師。所以這就是佛羅倫斯，她殺了詹姆斯，教區牧師的弟弟；她極度憤怒地把玻璃瓶扔向他的臉頰，以至於瓶子破掉，結果感染毒害了他的血液。「我們很安全，她出不來。」這點很清楚。這是一間牢房——一間前面是玻璃的牢房，有精緻的家具做點綴，不過還是間牢房。「西緬，孩子？」郝茲牧師問道。

微笑還在那裡。那微笑留在他身上了。

「我完全不知道這件事。」

她或許比他年長十歲，而她下巴與臉頰的弧度顯示她是難得一見的美女。他心想，在鄉下地方，男人很自信而直接，不會崇拜家世，她想必先前就覺察到這一點了。她可能利用過這點，而這是他先前見識過的一種美，因為毫無疑問，她就是掛在大廳火爐上方的肖像畫主角。

「她的風采讓你驚訝了。」

「讓我驚訝！是讓我大吃一驚。」他恢復鎮定後這麼說道。「她在這裡做什麼？這樣怎麼行？」

「不是這裡就是瘋人院，」牧師用惱怒的語氣宣布，就好像被這個問題背後拐著彎的批評給激怒了。「在她殺了詹姆斯以後，法官準備要把她關起來了。我已經盡我所能來確保她的安全。但如果你認為她最好穿著拘束衣關在貝德蘭瘋人院裡，就請你告訴我。」

當西緬瞪著佛羅倫斯看的時候，牧者的聲音再度消失了。可以確定的是，她是個引人注目的女人。而她毫無罣礙地承接著他的凝視，就好像他才是被關在這片玻璃後面的人。

「所以，她住在這裡面？」

「她在後面還有一間臥房跟盥洗室。你看到那道門了。」在她的牢房後方有個狹窄的開口。「所以她需要的時候就有隱私。而她跟我們吃一樣的食物。」

「我懂了……」他的心思轉得飛快。沒有人類應該像個動物園展覽品那樣被關著。然而她曾經殺死一個男人，而且貝德蘭瘋人院的生活肯定會更糟糕，糟糕得多。作為訓練的一部分，西緬曾被要求進入那間可怕的瘋人院：被收容人日夜都被鎖在牆上，把自己搖晃到瘋狂狀態；其他人會尖叫著說他們神智很健全，但一有機會就會用牙齒咬開你的喉嚨。在很少見的狀況下會有病人獲釋，他們的心理疾病被治癒了，但這是鳳毛麟角，而且只會發生在最溫和的病患身上。不，只要還有可能就別讓她進貝德蘭。這樣看似殘酷，但在這裡或許真的比較好。

「這並不容易。這是個很困難的平衡，」郝茲繼續說下去，怒火平息成某種像是後悔的情緒。「對我們所有人來說都很艱難。」他掙扎著用一條手帕擦他的額頭。

西緬想跟她說話，然佛羅倫斯看起來全無想跟他交談的跡象。「她怎麼拿到她的餐點？」

「你腳邊的艙口。」西緬低頭往下看。玻璃上有個可以被抬起的長方形壁板，大到足夠讓一個托盤的食物通過，但幾乎容不下別的。

「一定有條給她走的出路。」

「為了確保徹底安全——這是她需要的——所以沒有出路。她相當於被圍堵在裡面。床單每週更換以便維持整潔，會從艙口傳遞。水會從她的居所裡流入或流出。除此之外，沒有進出的動作。必須如此，才能滿足執法單位的要求。」

執法單位去死吧，西緬暗自想著。「佛羅倫斯，」他說。他很確定，聽到她的名字時，她的瞳孔有了些變化。「妳可以聽見我的聲音嗎？我跟妳是親戚——姻親。我是西緬．李醫師。」他等待回應，她仍然毫無動靜。她眼中的改變是他唯一看見的改變。「我在這裡替郝茲博士治病。」而在那時，他真的看到她臉上出現極其輕微的變化嗎？或許她嘴角邊緣抽搐了一點點。但燈光很微弱，所以他可能只是看到油燈閃爍光線的移動。

「我想她不會回答你，」郝茲告訴他。「她想說話時會說話，但那並不常見。」

西緬繼續盯著她。「佛羅倫斯，妳會跟我說話嗎？就說一個字？只要一個字。」

「今天晚上她不會的。」

「你怎麼知道？」

「因為她也喝過她的睡前酒了。」

西緬環顧四周。「你是什麼意思？」他察覺到那些話語裡有某種充滿威脅感的天真。

「檢查過她的醫師們說她血液裡有太多糖，使她病了。讓她冷靜下來的最佳辦法，是每天早晚給她一點鴉片酊。」

鴉片酊，溶解在白蘭地裡的鴉片，是開給本性容易激動之人的常見處方。西緬確實見識過，它對於腦子過熱的人有很好的冷靜效果，但他不確定在這個病例中是否是合乎倫理的做法。「她今晚吃過藥了？」他問道。

「她平常的量。她手邊的平底杯。」

西緬這是第一次看到，在那張小小的八角桌上——跟外面那張一模一樣——有個空的平底杯放在桌子側邊。而他也看到她俯視著它，她肯定有跟上對話。所以就算她的身體昏昏欲睡，她的心靈仍醒著。*當然了，西緬想著，這可能是用在她身上最殘酷的伎倆。*囚禁在玻璃後面是一回事，囚禁在癱瘓的身體裡會更糟糕百倍。「你是從哪裡抽取的？」

教區牧師指向角落裡的一具可上鎖大寫字桌櫥櫃[16]，又從他口袋裡拿出一把鑰匙。「瓶子相當安全，我向你保證。」

西緬再度嘗試跟她溝通。「佛羅倫斯，我是個醫師。我能做任何事來幫助妳嗎？」他對於回應不抱太大期望，儘管如此，他還是在等待。這回應沒來。

「你是個好孩子，西緬。你的心意很值得敬佩，但某些河流就是無法渡過。」

他默然深思。「她在那裡多久了？」

「從她殺死詹姆斯之後不久。幾乎兩年了。」

「那之後她就沒出來過？」

「已經有，喔，一年多一點點沒出來了。有一陣子她比較冷靜，而且看起來好像很安全，你懂吧。那時候有扇門，往外通到走廊，而我會容許她某天晚上跟我一起坐在這裡。但接著她……發生一種改變，而我覺得把通道封起來比較好。」

對你比較好，西緬想道。但對她呢？

一顆火星從油燈往上飛，它的反射倒影在黑暗的鏡面上升起。她追蹤著它的進展，然後把她的凝望轉回西緬身上。他想知道整個歷史，他的親戚們怎麼會墮入這種奇怪的事態裡。「郝茲博士。」他說道。

「喔，你其實可以叫我『叔叔』。我知道從嚴格字面意義上來說並不正確，不過這樣會讓事情簡單一點。」

「叔叔。」他轉身面對牧師。「我知道她如何殺了你弟弟。但我可以知道是為什麼嗎？」

神職者在他的沙發上坐得更深些，看起來像是被記憶壓下去的。「她懷疑詹姆斯行為不軌。我只準備說這麼多。」他蒼白的臉頰上，出現最細微的一絲羞恥紅潮。

「我明白了。」這個回應遠遠沒有滿足他的好奇心，反而煽風點火。

「我不相信你明白，」郝茲警告他。「我的孩子，雷島跟莫西島是偏遠之地。比你看地圖

16 寫字桌櫥櫃（secretary cabinet）通常是有很多抽屜的櫥櫃，前面會有一塊板子可以放下來當寫字桌。

會理解到的更偏僻。偏僻狹隘的性質是在靈魂裡滋長的。」他挪動了一下重心。「你能好心幫我倒杯水嗎？」這是第一次，西緬從玻璃後面的女人旁邊走開，他仍舊感覺得到她——也許感受甚至還更加鮮明，因為他無法看見她。他走到放著幾支瓶子的櫥櫃旁。水看起來夠乾淨，他把一杯水遞給牧師。「謝謝你。我剛才是在告訴你，這個奇特人性礦脈露頭的精神。唔，我四十二歲了。我弟弟——生前——小我六歲。佛羅倫斯的年齡介於我們之間。她父親是地方仕紳兼治安官，瓦金斯先生。一位好紳士。因為我們的年齡，還有事實上周圍好幾哩內的其他兒童就只有漁夫的後代，還有——嗯，我應該怎麼說呢？」

「……走私犯的後代？」西緬這麼提議。

「我們就說是不熟悉貨物稅法的人。」郝茲勉強承認。「現在，身為神職人員，我當然總是堅持任何進我家門的東西都必須正當繳過稅。」西緬瞥向那個旁邊有銀勺的小白蘭地酒桶；他不會打賭說那桶酒是完全合法之物。「所以，我們變得很親近。我敢說，詹姆斯跟佛羅倫斯是比我更野的小孩。」

「確實看得出。」他仍然覺察得到，對話裡的主角之一儘管處在罌粟的薄霧之中，卻正專注地聆聽。

牧師對著那些記憶咯咯竊笑。「嗯，我回想起來，有一次我在這裡快樂地看書，可能是羅馬史吧，那是我最大的興趣。到現在還是。他們在位於莫西島的瓦金斯家學法文。他們的老師一轉過身，他們就爬出窗戶，跑到硬灘去，扔掉他們的外衣，游過那些溪流到玫瑰酒館去。他們大中午的出現在那裡，全身溼透，又只穿著內衣。然後他們還有膽雇用莫蒂搖船把他們再送回去，承諾說我父親會付錢。」他再度輕聲發笑。「調皮鬼。」

「他們聽起來是很皮。」

「喔，他們可能很野，也可能很憤怒。在詹姆斯，喔，大概十六歲左右的時候，他們在郡市集上，而他對一個農家女孩百般獻殷勤，佛羅倫斯因此變得相當野蠻，結果給那可憐的女孩留下一個黑眼圈。唔，不是很有教養，不過他們還是孩子。只是孩子。」一個較近的記憶似乎突然席捲了牧者，他盯著房間陰暗那頭的佛羅倫斯。

「為什麼她像那樣坐在黑暗中？她沒有燈嗎？」

「她有一盞。有時候她會點亮它。有時候她偏好幽暗，我這麼想。這是她的選擇。」郝茲嘆息了。「我現在非常累。我想我應該上床，雖然我懷疑我睡不著。我會指引你到你房間去。」他拉著自己起身。西緬想幫忙，但被溫和地拒絕了。「不，這我辦得到，我的孩子。」他拖著腳步走向門。

西緬不情願地跟上，從他的遠親占住的牢房旁走開。隨著光線逐漸脫離牢房，它重新回到陰影中；他感覺到她仍然在注視著他。

「紅門是你的房間。我希望你會睡得很好。」郝茲痛苦地走向自己的床鋪時，在樓梯平台上說道。

西緬對他說了晚安，進入了遠處的臥房。他發現這裡夠宜人了，即使帶點霉味又老派。就像「走私犯」那個詞彙，他暗自想著。他脫了衣服，躺上床然後拉起被子，梳理清楚他今晚聽到的一切。他知道他應該考慮可能是什麼導致郝茲牧師的病痛，但他能想到的只有玻璃後面的那個女人。

第三章

西緬醒來的時候，一群海鷗正在嘎嘎叫，聒噪地到處盤旋飛行，尋找海洋或陸地上任何可啄食之物。在臉盆裡盥洗過以後，他走到樓下去。經過門廳時他再度注意到火爐上方的肖像，更仔細地檢視它。他現在知道那畫的是佛羅倫斯，她的頭與肩膀在一片非常明亮的天空之下——如此明亮，幾乎不可能是英格蘭。不，那一定是別的地方。她穿著一件太陽黃色的絲質連身裙，或許是在十年或十二年前入畫的，當時她大概是西緬現在的年紀，而她站在一棟極不尋常、幾乎完全用玻璃建造的房子前面。畫家展現出極大的才華，因為那張畫中有某種幾乎令人困擾的栩栩如生之感。

泰伯斯太太正在廚房裡吃起司與麵包，旁邊是男僕肯恩，一個看來嚴厲不好相處的男人，一簇簇明亮的紅色毛髮從他的腦袋、鼻子跟耳朵四處往外抽長。肯恩咀嚼、磨碎同一口食物的時間實在太長，讓西緬覺得很震驚。

「早安。」

「早安，先生。」泰伯斯太太回答。

「郝茲博士醒了嗎？」

「他醒了。」根據釘在牆上的時鐘，現在剛超過八點一些。

「我想確定他吃得很好。如果可以的話，我會把他的早餐帶去給他。」

泰伯斯太太似乎被這個主意逗樂了。「先生，由您去服侍他沒問題。他在圖書室裡。先前我必須幫他走到那裡。」她把麵包與牛奶堆到一只托盤上。

「有可能郝茲博士先前吃了什麼不合適的東西。」

「我的烹飪手藝很好，先生，」她回答得很簡短。「教區牧師很常這樣告訴我。」

「我確定這是真的。」他不希望得罪提供他食物的人，就拿了一塊麵包來證明他的說法。「不過，有可能某種看不到的東西設法進到他的餐飲裡了。妳吃的食物跟他一樣嗎？」

「完全一樣。我們兩個都是。同樣的食物做兩次沒什麼意義，不是嗎？」

「是沒意義，」他同意。「還有水、牛奶——全都是來自同一個來源？」

肯恩開口了。「全都一樣。」他說道，語調暗示著他認為他們受到某種指控，而他很不欣賞這點。

「葡萄酒？」

「很罕見，」泰伯斯太太告訴他：「聖誕節假期才有。當然還有聖餐酒。不過那只有一丁點，而且全體會眾都喝那個酒。」

他毫無進展。「那他睡前喝的白蘭地呢？」

她聳聳肩。「大多數晚上就一點點。他病倒前一兩天剛喝完一桶。」

「精確地說，是哪一天？」

「他病倒是在，我看看啊，是星期四。這個月一號。」跟教區牧師的說法吻合。

「我們應該測試它，」西緬回答。這時機很有意思。是可以想像這名教士的病根就是這樣，雖然他的病況持續惡化指出這不太可能。「不過我不知道誰會願意嘗試。」

「我會試試。」肯恩這麼提議。

「什麼？」

「白蘭地。我會試試它。確保喝它很安全。」

泰伯斯太太哼了一聲。「你可是個好教友派信徒呢，喝什麼酒。他們要你發的誓呢？」她這麼嘀咕。

「安靜，女人，」他厲聲說道。「這是為了醫學理由。」

西緬插話了。「你明白這可能有風險吧。」

「我會先給我的狗喝。尼爾森。他喜歡喝點白蘭地。」某些人為了喝杯酒願意冒的風險，是無可解釋的。肯恩察看了時鐘。「九點左右來試。只是得先去看看那匹幼馬。」他告訴泰伯斯太太。

「什麼幼馬？」西緬問道。

肯恩把更多食物劃進他嘴裡，一邊咀嚼一邊講話。「一隻跛腳馬。教區牧師的母馬幾週前生的。要看看牠現在有沒有好點。如果沒有……嗯哼。」

「嗯哼什麼？」

「是一項負擔，不是嗎？會花上一大筆錢。對教區牧師或我都沒好處。不想要跛腳的動物。」

「我懂了。」

「不是好徵兆，跛腳幼馬。」他緩慢地咀嚼他的食物。西緬這時想到，鄉下人非常看重他們的動物健康，而且有很多預測牲口發展如何的占卜儀式。所以沒錯，生病的幼馬是一種詛咒。「你來自莫西島嗎？」

「土生土長，」他這麼咕噥。「從沒離開超過十哩。」

那可能很有用。「所以你知道這些地區所有的祕密囉？」西緬快活地說道。前一晚見過佛羅倫斯以後，有些祕密讓他很好奇。

肯恩放下他的杯子。「倪有事情想問？問啊。」

這反應比他預期的更有攻擊性；然而否認他的好奇心沒有意義。「佛羅倫斯跟詹姆斯之間到底發生什麼事？」

肯恩切了一厚片麵包，塗上奶油吃，似乎是靠著拉長行動來決定成形的話語。「他們說詹姆斯先生參與了某些事。」

「彼得！」泰伯斯太太警告他。

「唔，這是事實啊。」

「哪種事情？」西緬問道。

「閒話講夠了。」管家堅定地說。

「泰伯斯太太……」

「不。閒話講夠了。」她從一只罐子裡倒出一杯牛奶給自己，然後放下，當成是對話的一個標點符號。

西緬心想最好先收手，現在別再逼他們。來硬的不如來軟的，所以他離開房間，把裝著教區牧師食物的托盤拿到圖書室。

他走進去，堅定地把視線停留在他的病人身上，他發現郝茲坐在前一晚的同一張椅子上，有一張毯子拉到他身上蓋住他。

「早安。」牧師含糊地說道。

把食物放下的時候，西緬再也忍不住了，他緩緩轉頭，凝望著房間的另一頭。她坐著，靜靜地注視，穿著同樣的綠色連身裙。那可能是她唯一被容許的穿著。她可能整晚都在那裡。她有睡覺嗎？要是發現她不知道那種樂趣、那種釋放，他不會訝異。

但他必須照顧他的病人，病人的健康狀況比前一晚更糟了。他的皮膚很蒼白，而在西緬量他的脈搏時，發現脈搏變得更快更輕，指出無論是什麼令他不適，狀況都惡化了。

「我的孩子，」這名牧者說道：「我覺得好像有一支軍隊在我腦袋裡行軍。一支軍隊。」

西緬小心翼翼地放下他叔叔的手腕。「聽到這點我很遺憾。吃點早餐，會有好處的。」牧師吃喝了些許，然後開始顫抖，癱回沙發上。「你確實是惡化了一些，先生。但我有信心你會撐過去的。」他在撒謊。這個男人的生命跡象遠比先前更微弱得多。如果他在此刻當場暈厥，也不會讓人意外。

「有人在毒害我！」郝茲突然間喊道，他弓起身體，接著又猛然倒回去。

這位醫師花了一會才克服他的震驚。「看在老天份上，你為什麼會那麼想？」他問道。

郝茲喘著氣，稍微恢復了一點。「我不是沒有敵人的。」

另一個令人震驚的宣言。這個男人是個鄉下牧者，不是土耳其巴夏。「敵人？誰？」儘管他心存懷疑，有個人選免不了呼之欲出。西緬望向玻璃包廂。她正注視著，相當泰然自若。

「你是指佛羅倫斯嗎？」

「她。還有別人。」

西緬無所不包的懷疑，回到雷島有一整群刺客陰謀集團的暗示上。「而他們有能力毒害你？」

「很有能力。很有能力，」他堅持：「你必須找出他們給了我什麼。一定有解藥。」

病人發燒時陷入譫妄，把自己的病怪到幻影幽魂身上，這並非聞所未聞。這位牧師最有可能罹患的是一種相當正常的器官疾病，或者有可能是意外食物中毒。然而他提出主張的熱烈程度，沙鐘屋的凶殺歷史，還有教區牧師的弟媳後來奇特的囚禁狀態，都讓西緬心中悄悄蔓延的不定形疑慮抬頭了。

不管起因是什麼，最好讓病患保持冷靜。「我必須說，如果你先前服下毒藥，不論是意外還是別人刻意為之，這毒藥都很奇特，在攝取之後還讓病情持續惡化六天，或者更久。我不知道有任何毒藥是這樣作用的。」他說道。「而且你食用的食物跟飲料，你的僕人們全都吃過。他們連胃痛都沒有。」他俯身面對那一桶新的白蘭地。「你喝過這桶酒，不是嗎？」

「它是在我病倒前一天新開的。我從那以後就沒再喝過它了。」

「這讓它很不可能是任何有害化合物的源頭，雖然肯恩無論如何很熱心要測試它。」

「喔，讓他試吧。為何不試？」

講到這裡，郝茲被這回會談弄得精疲力竭，翻過身去打起瞌睡了。西緬監看了他一會，接著，因為他幾乎沒別的事好做，就好整以暇地在書架之間漫遊。它們是驚人的多元收藏——從宗教到自然史到散文小說都有。這裡是一套《羅馬十二帝王傳》[17]；那裡是一部多恩[18]詩集。

噠。噠。噠。他抬頭看。緩慢、輕盈，玻璃敲玻璃的鏗鏘聲響。聲音出自房間屬於佛羅倫斯的那一頭，她在那裡有節奏地用一只平底杯輕敲他們之間的隔板。

「佛羅倫斯？」他說道。「妳想要什麼嗎？」她伸直一隻手指去指。西緬跟著那條延伸出去的線，走到牧師的八角桌去。桌面上有一本書，暗示著最近有人用過。他拿起書，發現那是一本薄薄的中篇小說。《金色田野》（*The Gold Field*），書名如此，很適切地用金色字體印。「妳想讀這本書？」他問道，拿著書朝向她。「妳要我讀這本書？」她的手落到她身旁，她回到她的椅子上。

西緬翻開它乾燥的書頁。

我要告訴你一個故事。這不是個美好的故事，其實也不是很惡毒的故事。就只是個故事。不過它是個真實故事，我可以用手按著我的心臟發誓，因為當時我在現場。

你可能從沒聽說過我。不過，你可能聽說過我父親。如果你是來自加州，你可能每次去買威士忌的時候都會聽到他的名字，更不要說是為你家窗戶買玻璃的時候了。當我說禁酒令[19]對他的銀行帳戶是天降大禮的時候，我不覺得我在出賣任何家族祕密。在國會決定我們全都得發戒酒誓的時候，他是個做得還不錯的商人。但他有位表親住在溫哥華市——如果你不知道的話，那是在英屬哥倫比亞——而且他天生傾向於靠任何必要手段賺錢，這表示在整個二〇年代，酒桶搭

17 《羅馬十二帝王傳》（*De vita Caesarum*〔*The Twelve Caesars*〕）是羅馬帝國時期史學家蘇埃托尼烏斯（Gaius Suetonius Tranquillus，約西元六九—一二二）的作品，出版於西元一二一年，內容是凱薩以及其後十一位羅馬皇帝的傳記。

18 約翰・多恩（John Donne，一五七二—一六三一）詹姆斯一世時代的玄學派詩人兼英國國教（聖公會）牧師。

19 美國禁酒人士在一九一九年推動美國憲法第十八條修正案成功，從一九二〇起開始禁酒令，但引起的社會問題比過去更多（私釀酒與假酒氾濫、黑手黨靠販賣私酒獲取龐大利益、犯罪猖獗），到了一九三三年第十八條修正案被廢除，以第二十一條修正案取代，禁酒令正式結束。

著船沿太平洋航行南下，我爸則拿它們換取現金。很多的現金。

爸買的第一樣東西是一套新西裝。第二樣是一個老婆。第三樣是一棟用玻璃做成的房子。

當然，不全都是玻璃。有木材、有金屬支架跟木頭地板。不過牆壁幾乎全都是玻璃。這樣讓它在夏天很熱，冬天很冷。我父親是從一個男人那裡買來的，他建立了這個地方，然後在一場股票詐騙裡失去他所有的錢，爸說他其實應該看出那是一場騙局。賣家感謝我父親把那棟房子從他手上買走，就好像他賣了那傢伙一個大人情似的，雖然真相是我父親看到草地上躺著某塊腐肉，就飛撲下去一把抓走。

而現在我們要開始講故事了，因為它必須開始。故事始於一九三九年二月。

西緬闔上書本，把他的拇指夾在書頁中間，然後更仔細地檢視它。佛羅倫斯要他讀這個，所以其中肯定有某種他還看不出的重要性。這本書不過是普通的廉價中篇小說，卻用有紋理的緋紅色皮革做了漂亮的裝訂。作者是誰？他檢查了書脊。上面有「O．圖克」這個名字。不管他是誰，他在寫未來，而且把它描述得像是過去。他再度打開書頁。

前一天降雪了。我們不常見到雪——在我們的房子建立的海岸邊，頂多每隔幾年一次。回溯大半的加州還沒有名字、甚至連印地安地名都沒有的時候，就有人稱呼我們住的海角地是杜姆角[20]，這名字很適合它。在我還小的時候，雪會落在海灘上，就落在大海擊打沙子的位置，而那裡會有一層瘋狂上下浮動的白色雪層，就像白子的皮膚，在一隻龍的肋骨上伸展開來。

現在，你需要知道當時有誰在那裡。主要人物會包括我自己，我妹妹寇蒂莉亞，還有我們的祖父，然後還有我父親。五年前我母親已經在法國過世了。我抬過她的棺材。

我們通常很晚吃飯，是照法國風格，在九點三十分吃晚餐。當然，到了那時，我們大多數人都瀕臨餓死，屋子裡吃得最好的是僕人們，比我們這些所謂的「主人」早三小時吃飯。

那天晚上我走下樓梯，瞥見我妹妹穿著一件金線閃爍發亮的中國風連身裙，溜進餐廳裡。

「我可以聽見你在想什麼了。」在我跟著她走過黑白相間的地磚時，她回頭喊道。

「我在想什麼？」我回應。

她停下腳步，等到我跟上她的時候，握住我的手臂，在我耳邊說悄悄話。「你在想只要再多熬過幾次晚餐，你就可以回到哈佛，還有那個寄詩給你的好女孩身邊，那些詩爛到應該算是違法物品，你卻一直重讀，因為她有非常漂亮的微笑。」

我咳嗽。有時候她的洞見太一針見血了。

就在那時候，男管家清了清他的喉嚨，這是他博得你注意卻不實際開口要求的辦法。

「是？」我說。

「先生，一封給您的信。」他交給我一封放在鍍鋅淺盤上的信。信周圍用蠟紙膠帶封了起

---

20 杜姆角（Point Dume）是實際存在的地方，位於加州馬里布海岸，是在一七九三年由英國皇家海軍軍官喬治・溫哥華（George Vancouver，一七五七—一七九八）命名，原本是要表彰附近聖布耶納文圖拉教區的方濟會傳教士法蘭西斯柯・杜梅茲（Francisco Dumetz，?—一八一〇），卻不小心在地圖上把對方的姓氏拼錯了，就此沿用至今。

來，前面有個我認不得的筆跡寫了我的名字。它看起來像是匆匆寫下的；墨水被抹髒，郵票貼的角度歪得瘋狂。郵票有好幾張，英國郵票——這封信是遠從英格蘭寄來的。而信封裡有某樣東西，在這封信移動時到處滑動。

不知道要預期什麼，我把信撕開，抽出一張小卡片。它的訊息很短。

「我會跟你說你母親發生了什麼事。倫敦的查林十字路鐵路車站。時鐘下。三月十七日早上十點。」而留在信封裡的，是一條下面有小盒子鏈墜的銀色項鍊。我打開盒子，找到一張我母親微笑的小照片。我很熟悉這條項鍊。她的四輪馬車在暴風雨中翻出公路那天晚上，她就戴著它。先前沒有人知道她那天晚上去了哪裡。只是現在有人知道了。某個沒簽下自己名字的人。

所以，這個故事就是一場追尋。追尋埋藏在家族歷史中的真相。跟西緬此時正在經歷的沒有那麼不同。雖然這些文字夠單純，而且這個故事——到目前為止——沒有威脅性，可他還是對此感覺到一股逐漸增長的不安。就好像它正拉著他到別的地方，到另一個時間，到別人的世界裡。「佛羅倫斯？這本書。它對妳的意義是什麼？」他問道。「為什麼妳想要我讀它？」她沒有用言詞或行動回答。他翻到後面的某一頁。風景變得熟悉得奇怪。

酒吧看起來關了，但我把拳頭槌在門上，槌得夠大聲也夠頻繁，足以喚醒死者。到最後店主出來了，看起來就像死者之一。這裡就是走私犯見面的地方。某些人在裡面，他們的夾克裡有手槍。

西緬翻到故事結尾。不尋常的是，結尾出現在書的一半處，後面都是空白頁。

所以他在那裡。我在這裡。而我們之間什麼都沒有，就只有一股像熱木炭那樣燃燒的憎恨。我可以朝他肋骨裡插進一把刀，動手的同時還祈禱感謝全能的主。因為即使他口口聲聲愛與虔誠，在咒罵一聲所需的時間裡，他就會對我做出一樣的事。問題是：我們之中的哪一個有計劃，還有我們之中的哪一個有膽量付諸實踐？到最後，是我。

「佛羅倫斯，這是什麼？」他問道。

她看著他拿著的書，然後從她椅子上起身，走到她自己的書架前。她抽出一本厚書，一頁頁翻過去，直到找到她要的那一頁，並從書桌上拿起一枝筆。她圈起那一頁上面的某些字，把那一頁拿到玻璃前。他讀到用黑色墨水圈起來的字：警告。天啟。預兆。最後那個詞被圈了兩次。她把書放回她書架上，接著往後躺在她的法式躺椅上，注視著他。

第四章

西緬不想對自己承認，但在他闔上那本緋紅色中篇小說，把它擺到最高的書架上以後，他其實鬆了一口氣。他注意到他這樣做的時候，手其實在抖。直到那時，他才透過玻璃望向佛羅倫斯。對於他沒有讀完每個字，她看起來並不失望或者憤怒。她看起來很滿意，就好像讓《金色田野》、它的美國風光跟跨海故事成為西緬生活中的一部分，就現在來說已經夠了。接下來還會有更多後續，他很確定。

他的病人睡著了，現在除了希望郝茲會重新恢復健康以外，他做不了什麼。確實，他可以帶牧師到柯契斯特的醫院去，但那樣有什麼好處？那只會讓他暴露在這類鄉下醫院大量的塵土與細菌之中。不，他在這裡比較好，西緬會監控他的病情。

「我們可以談談嗎，佛羅倫斯？」他問道。她把自己的臉靠向手心的更深處。「我能夠做什麼事情，或者拿到什麼東西，來讓妳覺得比較舒服？」她隱隱露出微笑，但他心想，那是在對她自己笑。那個微笑說，她憐憫這個想誘使她開口、卻絕對不會成功的男人。「唔，如果妳有想到任何東西，我會很樂意提供給妳。」他把雙手放進口袋裡。「妳願意對我談談妳自己嗎？」毫無回應。然後，一時衝動，他脫口說出某句更有挑撥性的話。「妳願意告訴我詹姆斯的事嗎？妳會告訴我妳做了什麼，還有妳為何這麼做嗎？」他不知道要期待什麼樣的回應，只知道他想激發一個反應。「妳愛他，或是恨他？」

反應來了——沒有尖叫，沒有眼淚。她只是整個人站起來，抬起臉面對看不見的天空，就好像沐浴在陽光下，然後嘆了一口氣，話語的整個世界都濃縮在那聲嘆息中。接下來，她離開了，去她在公共區域後面的私人空間，她在那裡可以獨處。她感受到的情緒是後悔？羞愧？渴望？憤怒？可能全部都有，也可能全都不是。

就在她從視線範圍中消失時，肯恩拿著一盤麵包、一些粗鹽醃牛肉還有一杯牛奶進了房間，他把托盤放在玻璃牆前面的地板上。他抬起艙口，把托盤踢進去。杯子傾倒了，把牛奶潑到食物上。他頭也不回地離開房間。

「肯恩！」西緬怒不可遏，在他背後喊道。

「你必須原諒肯恩粗魯的舉止，」郝茲醒了，也目睹了他僕人的行為。「他對我弟弟感情最深。」

「所以這種行為就合理嗎？」

「我們必須設法理解他人的憤怒。」

唔，他是做不了什麼。不過還有白蘭地要測試。西緬拿著小酒桶下樓，喚來肯恩，他表情陰沉地出現，直到看見酒桶才改觀。

「好吧，這是你的機會，」西緬惱怒地說道。他想為這個僕人先前的行為訓斥他一番，但這不該由他來做。「先用你的狗來試。」

不需要問兩次。肯恩走了出去，帶回一隻長相醜陋的獵犬。

「這是尼爾森，」他嘟噥道。他在一個碗裡填滿了白蘭地與水的混合液。狗把混合液舔光了——西緬疑惑地想，這條狗是不是真的喜歡酒，就像肯恩聲稱的一樣。他們等了二十分鐘，狗開始步履蹣跚地到處走，接著臉著地，攤平在廚房地板上，不過還在呼吸。

「好貨。」肯恩說道。他替自己倒了一杯幾乎從平底杯邊緣溢出的酒。

「你應該等到明天再試；看看尼爾森有沒有任何變化。」

肯恩聳聳肩，把酒杯拿到唇邊。這一帶的男人可能都是靠這玩意斷奶的。肯恩起初小心翼翼地啜飲，若有所思地咂著嘴唇，然後一口灌下。「好貨。」他確認了這點。

西緬希望現在他不會有兩個瀕死病人跟一條快斷氣的狗要顧。「就在這裡等一會，我會觀察你。」

「隨倪便。」

他計算著如果肯恩顯示任何中毒跡象的話，他會怎麼做。瀉劑是最好的。他有一瓶裡面都是磨碎芥末籽的水，會讓人在幾秒鐘內吐掉自己喝過的任何東西。不過他們默默無言地等了三十分鐘，肯恩的臉色或脈搏都毫無改變，西緬盤算著可能就這樣了。

這位僕人謝過西緬然後離開了，帶走了酒桶裡剩下的酒跟癱瘓的狗。

西緬在肯恩之後漫步到外頭去。這是個天氣很差的早晨，刺人的雨幾乎被吹到水平方向。在大海上方，他可以看到一陣哈爾霧[21]在成形——這種冷得凍死人的海霧可以籠罩整個城鎮，把它們變成冰冷霧靄的陷阱。

他大步跨過補血草，決定不讓天氣將他擊敗。沙鐘屋占據了雷島上唯一堅實的部分，在這

21 哈爾霧（haar）是一種濕冷的海霧，常見於蘇格蘭或英格蘭東部。

個小島的西側邊緣，周圍都是泥巴，躺在距離史楚道幾百碼的地方。不過，這棟房子還是暴露於北海與海上維京鬼魂可以強力投擲過來的最惡劣攻擊之下。他盯著東北方，越過隔壁的莫西島，望向大量產出狂野男子與武裝長船的那些國家時，他相信這片風景中有某種惡意的東西，準備好跳出來把一個男人拖向死地。

有一秒鐘，在他朝那邊看的時候，有某種東西在泥巴裡對著他閃爍。稍縱即逝的瞬間，有個閃爍之物捕捉到太陽微弱的光輝，然後再度消失，只留下吸飽了水的地面。他盯著曾經微微發光的地方，現在那裡什麼也沒有。

把雷島跟莫西島分開的渠道陷入左右為難的困境，來回衝刺，朝著史楚道猛推，威脅著要淹沒它，然後發現此刻自己的力量還不夠，就又撤退了。而某人正沿著莫西島的堤道往這裡走：一名大約十二歲的男孩，腰際兩側各拿著一個籃子，走得很快，顯得熟門熟路。西緬注視著他走下史楚道，把其中一個籃子放在地上。籃子裡裝著幾個用紙張與繩子包好的包裹。

「你是屠夫家的孩子？」西緬喊道。男孩帶著猜忌的神情，淺淺地點了個頭。「你不把肉直接拿到房子裡去嗎？」他用拇指比了一下他背後。對這男孩來說，這很難算是冒險走上一段長路。男孩搖頭，從一邊甩到另一邊。「為什麼？」這孩子動也不動地站著，像是一隻盯著貓看的鳥。「告訴我。」

一臉懷疑的孩子遲疑了，接著咧嘴露出某種邪惡的獰笑，吟唱著一個走調的學校操場童謠。「別慢跑，別快跑，看到玻璃女士就提防。貓也好，鼠也好，看到沙鐘屋人就快逃。」他短暫地逗留，品味著自己的勇氣，然後調頭跑回莫西島。西緬注視著他水花四濺地穿過侵入小徑的水域，就這麼消失。泰伯斯太太從屋裡出來拿籃子，禮貌地點頭示意。這似乎是這座荒涼島嶼的正常儀式。

他轉向屋子，發現泰伯斯太太用男孩帶來的肉準備午餐。因為沒別的事可做，西緬看著她工作，直到她請他別這樣為止。他挫折地撤退回他的房間，去讀一本醫學期刊直到晚上，只出來吃飯或者檢查他的病人，並且瞥一眼房間盡頭的玻璃牢房。牢房仍然是空的，而他很疑惑為何她不願出現。

西緬顫抖著醒來。一開始，他的心思空白得像朵雲，而他根本不知道他身在何處——或者他是誰。他只知道他冰冷的四肢猛然一陣痙攣。慢慢地，形狀在黑暗中逐漸展開，被月光照亮，而他能夠分辨出一間臥室了：他床邊的燭台上有根細蠟燭，他的外套則掛在一張椅子上。他往回陷進枕頭裡，因為努力回想，一時覺得精疲力竭。

然而弄醒他的不只是那陣寒意。來自窗口的喀喀聲告訴他窗閂鬆脫了，在風中鏗鏘作響。他揉揉他的眼睛，感覺到上面有一層薄薄的冰晶，然後強逼自己下床。接著冰寒的空氣就讓他完全醒了，甚至在他關好窗戶以後，他都無法重新入睡；在他躺著的時候，他的感官變得跟夜晚同調，他的聽覺鎖定了一種有節奏的木頭吱嘎聲，像是船隻在海上的那種聲音。那太規律了，不會是天候所致。那比較像是人類的腳步聲。

他立刻伸手去拿燭台，拿一支路西法火柴[22]擦過床墊點著，讓房間充滿一種橘色光輝。壁爐

22 路西法火柴（Lucifer match）是一八二九年創立的摩擦式火柴品牌。

架上的一個老時鐘顯示時間是淩晨兩點後。現在到外面去對牧師來說太晚，如果是泰伯斯太太來點燃爐火，又太早了。這棟房子孤獨卻並不遙遠，所以遭小偷不是不可能。西緬從火爐裡拿起鐵製撥火棍。

在他往外察看走廊的時候，強勁海浪的聲音——在人與動物都在活動的白晝聽不到——呼嘯穿過牆壁的裂隙。一切寂靜黑暗。

除了通往圖書室的那扇門底下有一道光。

他聆聽著。現在沒有腳步的吱嘎響聲了。不管那是誰，都安靜地停下來了。或許他們聽到他的動作，現在在等他。西緬謹慎小心，放輕腳步走向圖書室。他停下來，豎起耳朵聽來自裡面的任何聲響，卻什麼都沒聽到。他的心跳激烈，把撥火棍高舉過頭，準備好要用力砸向任何入侵者的頭骨。西緬踏了進去。

他發現的房間，是他最初進入的那個房間的奇特倒轉。當時那裡的主要房間是明亮的，另一頭的牢房是暗的。現在則是那個透明監獄裡有光，在一盞油燈裡燃燒得很明亮，其他一切卻是昏暗朦朧，有著從家具與書本上延伸出來的手指狀陰影。

是佛羅倫斯的腳步製造出那種聲響，因為她就在那裡，完全清醒，穿著平常的連身裙。不過西緬只看到她的背部，因為她俯身在她的小桌子上，剛好可以看見她在面前的紙上塗塗抹抹。她的手在頁面上畫出很長的筆觸，接著是簡短的來回，就好像在畫一幅畫。他被這夜晚的景象驚呆了，放下撥火棒注視著。

突然間，她的手突然停止移動。身體僵住，而後背緩緩展開，像是一條蛇。她用雙手撫平了她的連身裙。一隻手落在紙面上，漂移著越過表面，到達邊緣，把它從桌面上舉起。

她沒轉身看他，不過她對著穿透牆壁的艙口彎下腰去，把紙張推過來，並熄滅了她的油燈。她立刻再度置身於黑暗中，玻璃成了鏡子，他在鏡中的倒影被他發光的蠟燭點亮，回瞪著他。他聽見她的連身裙窸窣出聲。「等等。」他說道，等著聽見她的聲音。窸窣聲停了。他往前走。窸窣聲再度開始，然後消失，他知道她已經走了。

他彎下腰去檢查她留下的紙張。她本來確實在畫圖。閃動的蠟燭揭露出一棟懸崖邊緣的房子。大膽、連綿的線條。在一片寬廣平原邊緣的崖頂房屋。不過這片風景不是雷島，是某個很遙遠的地方。是大廳火爐上方那幅肖像裡的場景。

第五章

第二天早上，西緬認定呼吸一些新鮮空氣可能對他的病人有益，而郝茲同意包裹得像個嬰兒一樣，坐在巴斯椅[23]被推到外面去。空氣肯定很清新。「把我帶到那裡去行嗎，我的孩子？」牧師手指著淤泥灘邊緣問道。肯恩與西緬搬著那張椅子越過崎嶇不平的地面，在牧師可以眺望大海的地方放下。波浪來來去去，鳥兒在上方盤旋，偶爾落下來掠食魚類。西緬再度開始盤算有什麼可能導致這老人的疾病。他需要他的醫學文獻，不過令人挫折的是，他把那些東西都留在倫敦了。一個念頭突然擊中他：圖書室裡塞滿了主題廣泛的種種專論——有沒有可能他夠幸運，會在這裡找到對他的探查有用的東西？他用得著哈格談腸疾的作品，或者山德爾的……

當他以眼角餘光注意到有一小群人聚集在史楚道上的時候，他的思緒就中斷了——那是七八名成人，還有他前一天看到的屠夫之子。就算相距五十碼，從他所在之處，西緬還是可以看到那男孩臉上的惡毒笑容。那孩子在說話，西緬很確定是跟先前一樣的學校操場童謠。

成人們穿著粗疏：是漁夫或者農場工人跟他們的老婆。他們看著從屋裡出來的三個男人，就像在觀察籠子裡的野獸。

23 巴斯椅（Bath chair）發源於英國溫泉勝地巴斯（Bath），是一種有折疊式遮雨棚的三輪或四輪輕型車，可以用手推或拉，是輪椅的前身，給不良於行的病人使用。

「他們想怎樣？」西緬問道。

很不尋常地，是肯恩回答。「怕我們。以為我們會生吃他們。」從他喉嚨裡發出的短促咕噥聲可能近似笑聲。

「我要很難過地說，肯恩是對的，」郝茲說。「我的羊群並不總是最好客又樂於助人。我說，大家都知道他們之中有些人有嫌疑，會做出，呃——」他中斷了。

「做出什麼？」西緬催促他。

「我無法排除暴力的可能性。」

西緬深入思索，咬著他的嘴唇。他一直沒把他叔叔是被刻意下毒的受害者這想法當一回事，不過現在該更認真考慮這個假說了嗎？「關於你罹患的疾病。你認為這可能是——」

「我被人下毒。我告訴過你了。在這群看似無害的鄉親裡，可能有人下了毒手嗎？我會認為這完全有可能。」

確實，在他們面前排成一列的村民們臉上，有某種表情說著在這些區域裡，惡意暴力並非聞所未聞。

「你有特別懷疑任何人嗎？對你心生怨恨的人？」

郝茲瞇起眼睛。「末端那一個。」他伸出一隻消瘦的手指。「查理．懷特。才二十歲，然而我早就在他身上察覺到魔鬼的存在。喝酒鬧事，為了他個人的目的利用女人。我在講壇上警告過他，要停止他淫蕩的行為。這是對牛彈琴。我相信他很享受每次做禮拜時，我有什麼話要講給他聽。」

「是這樣嗎？」

「就是。他相當陶醉於其中。他在他罪惡的淫行裡享樂。我對此的強烈反感，反而讓他更加享受。不過他不會享受無盡的折磨。不，先生，他不會的！而且他沒有加以迴避的才智。」

「才智？」

「喔，要有頭腦才能逃開地獄烈火。他沒有。他會被灼燒。」

西緬把這個主張記在心裡。「你還有其他懷疑對象嗎？」

郝茲遲疑了，清掉他方型眼鏡上的一片霧氣，再把眼鏡戴回他鼻子上。「那裡。瑪莉・芬。」他指著一個髮長及臀的矮胖小婦人。「這女人在五年內生了五個女兒，沒有一個活過一個月。你說是疏忽？是，也許吧。也可能是某種更糟的事情。在這一帶，她不是第一個給女娃下藥而非養大她的人。而且她知道我起疑了。」他不滿地咕噥。「那兩個，他們不只是在我面前受審，還要在上帝面前受審。可是啊，有可能是他們之中的任何一人。魔鬼到處都是。他可能掌控他們之一，或者他們全部人。」這個念頭似乎在他心中滋長，怒火在他的話語之下燃燒。「是的，是的，這些人裡的其中一個被基督之敵侵襲了。他的雙手藏在他們手裡，藉此把某種東西滴進我體內。」他瘦得見骨的手戳向那些旁觀者。

奧立佛・郝茲神學博士是一位鄉村教區牧師，而鄉村教區牧師通常對惡魔與邪惡有非常僵化的觀念。對於像他這樣的男人，惡魔與邪惡不只是抽象概念，而是一個人能在最靠近的惡臭小巷裡遇到的有形實體。不過西緬一直回想起他父親電報裡的話。「沙鐘屋一直都有某種腐敗邪惡之處。把它留給上帝與法律。」他迎向那男孩的凝視，他的嘴型反覆不停地唸著那首學校操場童謠。

午餐之後，西緬著手在圖書館裡徹底搜尋可能派得上用場的醫學專論。某本毒物學書籍會很完美——他甚至可能找到有效的家用民俗療法指南，或者列出有毒蘑菇及其中毒症狀的植物學指南。他花了將近兩小時尋找——起初小心地把書拿下來，再精確地物歸原位。但隨著他越來越挫折，他憤怒地把它們扔到一旁。

在此同時，他注視著他叔叔掙扎著要進食。教區牧師在火邊坐起身，那裡有一小叢火焰讓熱氣滲進房間裡，還有一條披巾橫鋪在他膝蓋上。從早上開始，他的病情又更惡化了。好一段時間之後，西緬放棄了這些藏書，讓自己跌坐到一張飛翼扶手椅裡面。佛羅倫斯在她牢房後面的私人空間裡。西緬朝她空蕩蕩的法式躺椅看了一眼。「叔叔，佛羅倫斯畫畫嗎？」

郝茲揚起了他的眉毛，舀起一點牛奶粥送到唇邊。「畫畫？」

「風景畫之類的東西。」

這個年長男子把他的湯匙丟回白鑞碗裡。「據說她以前會畫。」他有些吃力地說道。

「她在晚上作畫嗎？」

「她為什麼會在晚上作畫？」郝茲若有所思地停頓了一下。「在白天我給她充沛的時間做她的消遣活動。為什麼要在晚上？」

「我不知道。」西緬不會比這位牧者更能摸清楚原因。

「你是否……有去見她？」

他不希望這個神職人員知道他在午夜之後在房子裡暗地亂走，這樣會顯得很踰矩。「不。但我在早上發現這個。」他從他口袋裡拿出前一晚的畫，把它擺在他叔叔膝上。起初什麼反應都沒有。老人臉上沒有辨識出任何東西的火花。然後烏雲似乎擴散開了。郝茲的下唇顫抖起來。他拿起那張紙，緊盯著它，就好像裡面有什麼聖經真理有待發現，接著用拳頭揉爛它，扔進火焰中。西緬對於區區一張墨水素描引起的反應感到震驚。「你為何那麼做？」他問道。

「這是愚蠢的東西。給蠢貨的。而我想要安安靜靜吃飯，」郝茲口沫橫飛地說道：「別再提了。」

西緬不信這個解釋。那裡有某種火熱的憤怒。「叔叔，如果你想要我調查是什麼讓你生病，你必須讓我這麼做。那幅畫很明顯對你有某種意義。請解釋是什麼意義。」

幾乎是立即反應，老人用力把他瘦骨嶙峋的雙手槌到椅子扶手上，以某種嚇人的努力，設法讓自己衝出椅子，跌得膝蓋落地。西緬想要幫他坐回去，但牧師在一閃而過的怒氣中像狗似地齜牙咧嘴，把西緬的手拍開。然後，就像個年幼嬰兒一樣，他開始四肢著地，急急忙忙爬過地板，撞向他路徑上的家具或其他障礙物。「這是我的房子。我的房子！我怎麼指揮隨我高興！」他厲聲罵道。一張擠滿書的邊桌翻倒，他在玻璃牆邊，用他的雙拳猛敲著牆。

「出來！出來！」他尖叫道：「我知道妳聽得見！」

「叔叔！」西緬大喊著，同時來到前方要把老人拉開。

「出來！」拳頭一次又一次地猛槌著玻璃。

就在這時，隨著她那件綠色絲質連身裙的一陣窸窣，佛羅倫斯從她的就寢區出現了。對於奧立佛．郝茲跪在地上，在他建造的牢房外面吼叫的奇觀，她似乎覺得有趣又好奇。一看到她，牧師就停止他的吼叫，開始搖晃。西緬因此聯想到一隻眼鏡蛇，在出擊前催眠牠的獵物。不過這條蛇力氣已然放盡，而他攤倒下來，他的頭猛然落到地板上。他失去意識了。

震驚的西緬檢查有沒有擦傷，沒有找到就把老男人翻過來仰躺著，輕柔地拍打他的臉頰，直到他喉嚨開始格格作響。「你需要休息。」他說道，同時把牧師抬起來放到飛翼扶手椅上。靠著眼角餘光，他看到佛羅倫斯平靜地微笑，享受著這場表演。他很確定，對於她的監護人為何勃然大怒地爬過地板，用他的拳頭擊打她的鍍金牢籠，她心中有些祕密。他想知道那些祕密是什麼。他開始失去耐性了。

他看到那張素描還剩下一點最後的殘片，在地板上顫動。在爐柵邊緣，某些小小的、燒焦的殘餘物逃出了火焰。他把它們撿走。那是她夢到的風景邊緣。沒有比他先前見到更多的東西——當然只會更少——不過那個用黑色墨水勾勒出來的想像場景，現在有了更大的重要性。不管它是什麼，它有力量激發郝茲牧師的暴怒。但怎麼會？

在他拿著它的時候，某些焦炭從他指尖脫落。他聽到牧者掙扎著要說話。「那個……世界，」他悄聲說道：「我告訴他們那不是真的。他們應該活在神意之下！」

他們之前做了什麼，違反了這一點？西緬如此自問。

第六章

次日早晨的早餐，泰伯斯太太上的菜是羊肉香腸與黑麵包。

「我希望能稍微看看莫西島。」西緬一邊大快朵頤，一邊告訴她。

「花不了倪多少時間。」肯恩過度咀嚼滿口的食物，同時含糊地說道。

「我現在可以走史楚道嗎？」

「可以。」

這樣有好處。他在屋裡還是找不到任何器官上的起因來解釋牧師的病情，但他確實冒出一個想法：有可能起因在奧立佛・郝茲生活中的別處。可以想像的是，源頭可能在他度過大多數時間的其他建築物裡。西緬不想離開他的病人太久，不過他可以花一兩小時跑一趟莫西島的聖彼得與聖保羅教堂。

他希望在他回來的時候，他還有病人可以照顧，因為在他起身的時候，他發現郝茲在他的沙發上呻吟，高燒發到足以煮滾水了。比起前一天，他的狀況更糟，而且糟糕得多。「我的頭在跳動，跳到像是要爆了。」牧師嘟噥道。一行黃色的唾沫持續掛在他唇邊，直到西緬把它擦掉。

所以在吃完飯以後，西緬穿過雲端降下的毛毛細雨出發了。他很快就發現，莫西是遠比雷島更加結實的島嶼。沿著小徑走一哩就到了村莊，它窩在小島的南海岸。一座牢固的教堂尖塔升起，五六十間房子看似聚集在它的底部。它們大半是漁夫的小屋，矮胖結實——其中的居民無疑也是如此。

教堂本身是英國羅馬式風格的中世紀建築物。室內的石頭與灰泥因沒上漆而直接暴露出來，偶爾出現的軍團代表色是例外——可能是來自本世紀初對法戰爭期間駐紮在島上的軍隊。西緬開始環顧四周，抱著微薄的希望：會有某樣東西顯得很突兀，可能就是導致教區牧師生病原因。

他察看了中殿與法衣室，檢視乾的洗禮盤、主祭台跟可能放置聖禮酒的上鎖櫥櫃。沒有任何看起來不恰當的東西，他灰心地跌坐到一張教堂長椅上。

「早安。」有個聲音喊道。

那是來自一個進入中殿的男人。這男人大約六十歲，打扮瀟灑——說實話，比任何漁夫作夢會想到的都瀟灑得多。

「早安。」西緬等著看對話會從這裡推展到哪裡。

「我是威廉．瓦金斯。這一帶的治安官。」他在西緬旁邊坐下。看來這一帶沒什麼同伴，所以不管有什麼機會出現都要把握。這個男人有種老派的說話風格，暗示著老派的思想。

「西緬．李，醫師。」

「喔，為了郝茲來到這裡？」

「是的。」這裡每個人都知道誰健康、誰生病，他一點都不訝異。

「他，會活下去嗎？」

「我們可以抱著希望。」他避開不說他們可以祈禱——在這類偏僻地方，這種說法可能會被當成真的訴諸神力，而不只是一種措辭。他的日程表是很空，但那並不表示他寧願花大量時間在教堂裡跪著。

「抱著希望，是的。之後會回到柯契斯特，是嗎？」

「倫敦。」

「喔，倫敦！天哪。我年輕的時候在那裡度過一些時光。」他暗自發笑。「我猜你也很享受它。是。相當不錯的城市，倫敦。」他似乎迷失在自己較年輕的歲月裡。

「你是佛羅倫斯的父親。」

「喔，喔，是的，佛羅倫斯。」他的聲音一沉。「她還好嗎？我沒像……以前那樣常去那裡了。」

西緬懷疑這是有理由的。這不是長途跋涉，而且在莫西島上，治安官能忙的事情必然只有寶貴的一點點。不，看到自己的女兒處於奇特的監禁狀態，鄉紳瓦金斯可能覺得相當不自在。

「我見到她的時候，她顯得相當健康。在她所在的地方。」西緬選擇不提在每日的鴉片酊掩蓋之下，她的輕蔑之情在冒著泡泡。「你知道，這對她不容易。」

「不容易，相當不容易。」瓦金斯低下頭去，他的嘴唇在顫抖，試著組織話語。西緬等待著。與病人為伍多年，讓他學到等待某個想開口的人很有益處。「那個包廂，」過了一會以後他說：「我從來不想要它，你知道嗎？」

「我確定。」鮮少有父母會想要他們的孩子像個展示品一樣被關著。瓦金斯治安官很可能不是個邪惡的人，只是軟弱。

「不是那裡就是瘋人院。法官那麼說。」

「那麼她在現在的地方真的比較好。」

「喔，是啊。」他變得開朗了些，就好像找到一名支持者。「肯定是，先生。如果法官允許的話，就會讓她跟我住在家裡。然而無法。我想是擔心我會放她走。」

西緬頓了一下，暗自懷疑有某位不知名法官堅持這種安排的說法，到底有多精確。「你會嗎？」

「我會嗎？」瓦金斯似乎是在質問自己，沒有測試就不知道答案。「我無法誠實回答。」是不能還是不會誠實回答？西緬暗忖。「郝茲博士生了重病，不過起因不明，而我試著要確定原因。你自己有不舒服嗎？或者這一帶你認識的任何人有嗎？」

「不舒服？不，一點都沒有。所有人都非常健康。」

瓦金斯的出現至少提供了一種展望：為沙鐘屋過去兩年發生的種種怪事提供一種洞見；這些事件已經讓一個男人死去、一個女人被囚禁，現在還可能跟一名牧師的怪病有關。不過在探問以前，最好先贏得治安官的一點信任。

「我想稍微看看這個島嶼，」西緬說：「掌握一下這裡的感覺。你會建議我去哪裡？」

「先生，這裡沒多少可看的。我是以本地人的身分這麼說。」他盡全力讓自己振作起來。「喔，是的，這是個生活艱難的老地方。不過來吧，我們可以到我家休息，喝點……茶。」他說得遲疑。西緬懷疑是他的醫學頭銜讓治安官心生警惕，避免提供烈一點的飲料。

「感謝您。」

他們走了十分鐘，抵達這一帶唯一的大房子。它是現代風格，有著像是德國城堡的尖頂與塔樓。「上來屋頂吧，」瓦金斯說：「別在意下雨。我們見識過更糟的狀況。」他們穿過這棟室內裝潢比外表暗示的更為舒適的房子往上爬，穿過一扇活門，然後上了屋頂。一上屋頂，瓦金斯就快樂地亮出一支望遠鏡，邀請西緬透過它觀看。「要是幸運的話，你可以看到荷蘭海岸。要是運氣不好，就是肯特郡。」他等著他的小笑話被參透。

西緬什麼都看不到，只看到海上一陣激烈的暴風。「我在這裡覺得自己真是個局外人，就算我的家族，或者是家族的一個分支，在這裡深深紮根。」他說道。

「喔，是啊，當然有可能如此。不過我們是很好客的一群人。」瓦金斯友好地表示同意，即使相當不精確。

「老實告訴您，我在來到這裡以前甚至沒見過郝茲博士。我對他一無所知，真的。」

「喔，沒有太多可說的。可靠的鄉間教區牧師，先生。就只是這樣。」

「先生，每個人都有過去，」西緬反駁：「我想您有一度是很不得了的年輕人吧！」

這句話取悅了瓦金斯，讓他開始露出笑容。「哈！先生，我的確是。喔是啊，那是美好的舊時光。」

「但郝茲博士一定是很用功的那種人。」

瓦金斯清了一下喉嚨。「唔，是的。當然，他並不一直都是神職人員。」

「不是啊？」

「喔，不是不是。雖然我料到他一直註定要做這行——性情使然，你懂嗎？」

「哦？」西緬聽起來很感興趣，但不是過度感興趣。

「他父親，郝茲上校——這裡談到的是一個嚴格的男人，一個威武不屈的男人——想讓他的長子從軍，而不是投入教會。」

「是嗎？那麼為何結果沒有？」

「喔，其實有的。維持了一小段時間。」瓦金斯告訴他。

「我不明白。」

瓦金斯坐在屋頂邊緣的雉堞上。「上校打定主意要為年輕的奧立佛買個軍銜——我告訴他，我真的有說，我說：『亨利，你兒子不適合戰場！』但他想要他的長子做個士兵，事情就這樣定了。到最後，他盡全力就只能在印度軍隊裡找到一個軍團，願意收他兒子。」

「唔，那樣似乎夠好了。」

「喔，你這麼想，是吧？」瓦金斯回答，對這個主題熱衷起來。「因為懦弱而被撤職。」

「不會吧！」這真的令人意外。瓦金斯看起來有點自鳴得意。無論他有多喜歡把自己塑造成一位親切的鄉紳，他仍享受這年頭的八卦閒話。

「真是活久見。我想是步槍軍團——被派去打英國不丹戰爭[24]。就我的理解——你明白吧，細節很難打聽到——必須有人把他拖下貨車，幾天之內他就棄職潛逃了。他們必須派出一隊人馬去找他。當然，這也表示他失去他的軍職，還不能轉賣——回家的時候是個欠債的懦夫。」

原來如此。教會確實似乎是個比較好的職業選擇。「那詹姆斯呢？」治安官身體一僵，就好像體驗到突如其來的緊張。西緬注意到了。

「我……我……」他透過望遠鏡凝視外面，以便迴避西緬的注視。

「瓦金斯先生？」

瓦金斯怯生生地離開小望遠鏡。「詹姆斯是……呃，當然了，他跟奧立佛不同。非常不同。他父親認為，他是個莽撞鬼……」他說到一半就停了。這個男人心頭絕對有某件不能宣之於口的事。

「你沒告訴我的事情是什麼？」

治安官的腳交換著重心，像個小學生。「我……我不希望說死者的壞話。」

「瓦金斯先生。我希望知道。」他的疑慮正在變得越來越強：他那位病人的情況，其實是這些島嶼上某些奇特行為的產物——通往治癒方法的道路就在那裡。

為了迴避他的凝視，瓦金斯回到他的望遠鏡前，彎下腰透過它凝望。「我可以看見荷蘭，」他聲稱。「是的，我確定那是荷蘭。」西緬走到鏡片前面。

「瓦金斯先生，我必須知道。我可以去別處問，但這樣可能會引起某種糾紛。」

瓦金斯離開了望遠鏡。「詹姆斯參與了……非法的活動。」

肯恩曾經暗示過這類的事情。「你願意告訴我是哪些犯罪嗎？」

「我道歉，先生。我已經說得太多了。我必須……去工作了。」他緊張地走向讓他們上到屋頂的活門。「請你來這裡好嗎？」

「你不回答問題嗎？」瓦金斯瞪著活門看。「那我就去問別人。」西緬沒有等著被拒絕。

「詹姆斯死亡的確切情況是什麼？我沒得到答案就不會離開。」

聽到這句話，瓦金斯似乎徹底洩氣了。「詹姆斯……」他搖著頭說道。

---

24 第一次英國不丹戰爭（Duar War）是一八六四—一八六五年間，英屬印度與不丹發生的軍事衝突，結果英屬印度獲勝，不丹被迫割讓領土。

「繼續說。」

「先生，這是個痛苦的話題！」

「我理解，但可能還有更多事情都仰賴這一點，這是我們任何一方現在所不知道的。郝茲博士心中認為有人設法要殺他。」

「什麼？誰？」他聽起來真心感到駭然。

「這我們就不知道了。」

「不是佛羅倫斯！」瓦金斯喊道：「我知道你怎麼想，但她不會冷血謀殺一個人。詹姆斯的死是意外。」

「既然如此，你不該反對告訴我這件事。」

瓦金斯氣急敗壞，開口三次才設法把一句話講完整。「這……這是……這是兩年前的一個晚上。有人聽見佛羅倫斯跟他在吵架。不是第一次了。完全不是。」他抬頭看。「唔，這次爭吵似乎是關於一個女人。沒法告訴你是誰——我想是詹姆斯的某個婊子。佛羅倫斯，是很善妒的人。很熱情。她熱血沸騰的時候，我永遠拉不住她。她還不到十七歲的時候我就放棄了。她……」

「請講這次爭吵。」西緬催促他。

「是的，是的。唔，他們對彼此大吼，根據我聽說的，他否認一切，然後她把一個玻璃瓶之類的東西丟向他。我想，她先前在喝酒。」

「她是刻意這麼做的嗎？」

「我怎麼可能知道？」

「呃，她對自己的行為感到自豪嗎？」

「自豪？我不認為如此，先生。是反抗心重。是的，她是愛反抗。」

西緬可以看得出瓦金斯瞞著他某件事。「瓦金斯先生，身為醫師，如果光是這種行為就會讓一個女人被送去貝德蘭，我會很驚訝的。我相信你還有很多事沒告訴我。」

瓦金斯垂頭喪氣。他被打敗了。「在詹姆斯死後，佛羅倫斯的行為開始變得相當奇怪。她承認她殺了他，但聲稱有某種針對她的陰謀。然後她逃跑去了倫敦，在那裡她讓自己徹底蒙羞，要不是有個警方治安官拘捕她，接下來她可能做出什麼事，只有天知道。我必須要求郝茲搭馬車去那裡接她，把她帶回家。」

唔，對於這個故事，這是很實質的補充。「你為何派郝茲博士代替你？」

「為什麼？因為我不希望看到自己的女兒在警察護送下被拖回來。」他把雙手手掌蓋到臉上。「而且是的，是的，這很羞恥。我覺得羞恥，因為她是我的女兒；因為我沒有把她養育成更好的人。」

西緬理解。羞恥感肯定從內在啃噬著這個男人。「接下來是什麼？一場審判？現在別再有所保留了。」

瓦金斯點點頭。「一場審判。在巡迴審判庭。她不適合出席——她有一半時候在胡言亂語，只有鴉片酊讓她冷靜，然後她就不能說話了。檢察官說她必須被強制入院。但我認識那個法官，阿拉迪斯。談了一下。他同意不送她去瘋人院，她可以被關在這裡。」

「在那間玻璃牢房裡。」西緬說。對於她那異乎尋常的監禁（老實說，是任何一種監禁）是有必要之事，他尚未被說服。

「是在監督之下，先生！在監督之下！我提供我自己的家，但就連阿拉迪斯都不同意這麼做。『以你的慈父之心，你不會是個可靠的獄卒。』他說道。可是接著郝茲自告奮勇，阿拉迪斯就允許了。所以郝茲讓人蓋了給她的住所。這是我們能得到的最佳結果了。」

西緬對此有很多意見，卻沒說出來。現在該去檢查他的病人了，他不想一次離開病人超過兩小時。所以，瓦金斯領著他回到下面，穿過房子，送他出去。「請代我問候郝茲……還有佛羅倫斯。」他有些不自在地補充。

第七章

西緬跋涉穿過村莊，沿著史楚道回到雷島，經過那些爛泥灘，它們斜斜落入兩島之間的水道。

當他接近在雨中顯得陰鬱的沙鐘屋時，奇特的沙漏風向標緩緩地在屋子頂端轉動，他凝視著肯恩警告他遠離的大片黏土質泥巴。昆蟲統治著它們，還有流經它們之間的泥水流。不過他總是有唱反調的傾向，肯恩警告他小心，導致他決心盡可能地近距離檢視那些爛泥。

他靠近邊緣。它們就像但丁描述的冥河那樣惡臭。他很能夠想像擺渡人莫蒂扮演費列基斯的角色，運送靈魂跨越地獄的第五層[25]。正要移動的時候，某樣東西引起他的注意。某種金屬物設法在這陰沉的天氣裡閃爍著微光。肯定是之前反射陽光，接著卻消失在他視野之外的同一樣東西。

他細心選擇他的路線，測試他的落腳處，直到他找到紮實的土地為止。五碼之外，那個大獎看似卡在一根細細的短棍上，泥巴在上頭結塊，天知道是從哪裡被沖刷過來的。更靠近一些，那塊金屬就凝固成形，變成一只白鑞戒指。他伸出手指握住，然後把它拉向他，但那根棒

25 費列基斯（Phlegyas）是希臘神話中的人物，因為得罪神祇在地獄受苦。在但丁的《神曲》中，他擺渡讓維吉爾（Virgil）與但丁渡過冥河到地獄的第五層，憤怒之人在這裡永遠受苦。

子卡在泥巴裡。顯然表面之下還有更多東西，因為它不肯脫落。他挪動自己的位置，好讓他可以搆著它；然後更用力拉扯。接著，在沒出現任何轉折、泥巴或天空也毫無警告的情況下，他發現他抓住的不是一根細木條，而是一隻男性手掌上污垢結塊的凍僵食指。

他往後一退，瞪著他先前握住的東西。埋在泥巴裡的是一個男人的局部，或者全部。即使像他這樣，每週都會見到已死者與瀕死者，這幅景象還是很糟糕。不過他讓自己鎮定下來。屍骸就是屍骸，不管是放在解剖台上還是淹沒在水中都一樣。而且在某個地方，有某個人在等待著他們的兄弟、兒子或父親的消息。

西緬讓自己做好更紮實的心理準備，猜測躺在泥巴裡的東西有多重，並且壓制對這種場景的任何潛藏人性恐懼，他要動手揭露被隱藏的死者了。他握住男性屍體的手掌，就好像他們是在握手的朋友，然後出力拉。

他只花了一點點力氣，起初是手指，接著是手腕被拉到光線之下。一顆滴著水、湧出泥巴的袖扣出現了，對於人的虛榮是一種借代性質的諷刺畫。是的，看來這個可憐靈魂的全副身體都埋在下頭。

西緬抓著衣服往上拉，靠他跪著的柔軟地面當支點。然而用盡全力，他還是無法辦到。但他也不能離開去找人幫忙，因為他知道那隻手可能接著就會再度被掩蓋，屍體可能會沉得更深，或者在水道中被沖走，可能從此永不復見。他別無選擇，只能更靠近。

所以他的胸膛先滑動著離開堅實的地面，滑到一團滲水的泥巴裡；他感覺到泥巴從他自己周圍鬆開，淹沒他張開的兩腿。他知道他正一次下陷一吋。如果他計算錯誤，到頭來他可能跟被掩埋的男人合葬在相同的簡陋墳墓裡。接著，他小心地順著死人實在的肉身，往下探進泥巴深處，直到他摸到肩膀為止。現在雨下得厲害，他的背吸飽了雨水，但他拒絕讓他照管的對象再度消失。

他做好準備，然後他用盡全力，使勁地拉。一吋接著一吋，它開始動了。它靠得越近，他滑得越深，直到他們在泥土中相擁為止。那裡將會出現空洞的眼睛、塞滿淤泥的喉嚨，不過西緬滿腦子只想著要把這具冰冷的屍體拖進光線下。

他像蛇一樣到處扭動，最終隨著一聲吶喊與他的最後一分力氣，他終於把他的身體跟那死沉的負擔一起翻滾到堅實地面上。他癱倒，吃力地喘著氣。他用手掌把泥巴從自己臉上抹掉，吐掉棕色的水。然後他第一次瞥見那男人的臉。

它仍然裹著泥巴，幾乎無法被辨識成人，反而像是一隻原始生物。不過它就是人：一個前額，大鼻子跟突出的下巴，還有滿身肌肉的強壯男子，必定一度曾經呼吸、工作、進食、大笑跟咒罵。西緬瞪著他從泥濘中掏挖出來的東西，讓雨水洗去一些泥土。

我的朋友，你是誰？他心想。你是溺斃的嗎？在你走路時心臟忽然一緊嗎？有人想念你、搜尋你嗎，或者沒有人注意到你不見了？

這具屍體的肉身幾乎完整。某些地方是腐爛了，不過看不太到。要不是最近才死，就是黏土完整地保存了它，像是被固定在冰塊裡。西緬把眼瞼往後拉。虹膜清澈，而且是綠色；牙齒很強健，卻因為菸草而變色了——或許是本地的漁夫之一。

他考慮著要怎麼做。他距離沙鐘屋只有幾百碼。到了這個節骨眼，他可以自己把屍體拖到那裡去。所以，用上最大的力氣，他把男人扛到他肩膀上，慢慢地走向屋子。

泰伯斯太太在門檻前看到什麼在等著她的時候，她的嘴拉成一個無聲的尖叫。「妳冷靜點，」在她踉蹌後退時，西緬指示她：「他已經死透了。」他擠過去，走向後方的客廳，沒費事去關心他大步穿過走廊時帶進來什麼。

那裡有張宗教文獻多到滿出來的桌子，他把文件掃到地板上，然後用他的負擔取而代之；它張著嘴，污水還滴到地毯上了。

「以上帝之名，那是什麼……」管家悄聲說道，她找回她的聲音了。

「一個男人，泰伯斯太太。一個死去的男人。」

「這是誰？」他注意到她偷偷摸摸地在自己身前畫十字。毫無疑問，教區牧師會對這樣的天主教徒舉止有點意見要指教。

「妳會比我更清楚得多。」他拿了一只花瓶，把花扔到一旁，並把水倒在屍體臉上，用本來放在花瓶下面的裝飾布來擦拭。隔著剩下的黏土，往外膨脹的臉頰露出來了。

「約翰．懷特。就是這個人。」被騷動吸引的肯恩進來了，話是他說的。

西緬打開了男人的衣領，正在檢查他。聽到這名字以後動作停了下來。「約翰．懷特？」

「哎。」

前一天，當地人在他們面前像烏鴉似地，在史楚道上站成一排，郝茲指出一個他懷疑作惡多端的年輕男子，名叫查理．懷特。

「他是查理．懷特的兄弟嗎？」

「本來是查理的堂兄弟。再也不是了。現在沒了。看看他。」肯恩摩挲著他的下巴。

「所以他是這裡的人？莫西島？」他問道。

「莫西，哎。一兩年前不見的。」

「唔，我想我們現在知道為什麼了。」

「哎。」肯恩往前走。泰伯斯太太保持一段很遠的距離。這是出於對死者的尊重，還是對死者的恐懼，西緬說不上來。不過身為醫師，兩者他都不太感覺得到。對他來說，屍體主要是醫療失敗的證據。

「他是誰？」

泰伯斯太太跟肯恩交換了微妙的一瞥。

「採蠔人。」

「我懂了。還有呢？」他等了一會。肯恩回敬了西緬的凝視。「肯恩，你在隱藏某件事，不是嗎？」

「啥都沒藏。」

西緬死盯著他。「你現在就別說，不過我會找出來的。」現在他的疑心已經夠深了。似乎全體人口都參與了當地的犯罪交易。

「你找啊。」

西緬回到屍體上。有個暗色水窪在下面的地毯上成形，而他著手把衣服扯掉。「拿剪刀、布跟一桶溫肥皂水給我，」他指示泰伯斯太太：「而且妳會想找些床單來接水。」

「我要叫醒郝茲博士嗎？」她問道。

「不，晚些時候我自己告訴他。」

她匆匆離開去拿水。「跟我多說說這個男人的事。」西緬這麼指示肯恩。

「約翰？安靜的那種人，」他用依舊不快的語氣說道。他明顯認為這不關外人的事。「很壯。」如果肯恩描述一個男人「安靜」，必定表示他實際上很笨。

「他怎麼失蹤的？」

「前年夏天。發現他的船翻了，在硬灘上打轉。他不在船上。所有人都以為他在海裡溺死了。現在看來他是溺死在泥巴裡。」他瞇著眼睛望向窗外。「不是第一次囉。」

「他有家人嗎？」

「他老媽幾個月前死了。他有個妹妹，安妮，不過她離開了。」

「所以查理是最近親？」

「我想他是。」

西緬脫掉他的上衣。它們吸飽了雨水跟泥巴。泰伯斯太太帶著熱水還有床單回來，他洗淨擦乾自己，也擦掉桌上那個男人身上的更多泥巴。

全身皮膚是黃色的，有好幾處擦傷。不過隨著他的無袖緊身上衣被剪掉，他軀幹上的皮肉看似往外爆開了。泰伯斯太太發出一聲淒厲的尖叫。

西緬俯視著皮肉上的破裂處。「某種東西先前在吃他。」肯恩嘟噥著罵了一句。「應該通知瓦金斯先生。」

「我會去。」肯恩說。

「謝謝你。」一個念頭冒出來。「可是別告訴查理．懷特。我會負責這件事。」

肯恩瞇起眼睛。「隨倪便。」

西緬清理乾淨，爬上樓去換了一件乾淨襯衫。現在該告訴教區牧師了。

一走進圖書室，他就發現郝茲躺在沙發上呻吟。瞥一眼房間盡頭的隔間，那裡是空的，它的囚犯在視線範圍外，在後面屬於她的房間裡。

「叔叔。」西緬說。

老人的聲音只比悄悄話大聲一點。「喔，西緬，我的孩子。我顫抖得好厲害。」西緬把手放到牧師的前額上。確實摸起來很冰冷。「我不久於人世了。」

就這麼一次，一位病患對自身病情嚴重性的看法可能被證明屬實。西緬以前當然失去過病人，但一直都是陌生人。然而容許自己的親人失去性命的念頭讓他憎惡，因為這是他的責任。「叔叔，先別放棄自己。在你知道怎麼回事以前，你就會起身對羊群講道了。」

較年長的男人設法擠出一個薄弱的微笑。「我沒這麼確定。」他喘著氣說道。

「你會希望我把某個人找來嗎？」

郝茲有些費勁地抬起眼睛。「沒有。沒人了。你父親是我最近的血親。如果我死了，這棟房子會歸他所有，接著，假以時日，會是你的，你知道的。」他瞪大了眼睛。「你會怎麼處置它？」

處置它？過去幾天裡，在沙鐘屋引發的所有奇特念頭之中，繼承此地的想法並不在此列。他能怎麼處置它？他立刻想起他因為缺錢而延宕的研究。如果他可以設法說服他父親立刻把房子轉移給他——畢竟，他父親宣稱深切厭惡這個地方——他就可以把它賣掉，重啟他的工作，不必到處找有收入的工作或獎助金。他可以奉獻他全部的時間跟精力！

「叔叔，我會用它來幫忙找到霍亂的根治方法。」他說道。他知道這是有點浮誇的宣言，不過想到他的死亡會帶來某些好處，毫無疑問，牧師會感到安慰。

「喔，那會是很好的利用。對。可是必須有一個條件。」

「那是什麼？」

「如果我死了，你必須開始為她負責。」西緬突然望向房間另一端的玻璃牢房。「這是為了她好。如果她被釋放，她就會立刻被捕，被送到瘋人院去。」

西緬對要成為佛羅倫斯的獄卒毫無欲望。然而他考慮到牧師說得對，另一種結果會是送去貝德蘭。唔，如果這一切真得實現，他會盡他所能公平對待她。那可能蘊含觀察她一段時間，決定最好的治療或行動方向。如果他們兩個都很幸運，她就有可能取得自由。他答應了他叔叔，他會照著要求做。

然後西緬上樓要分享的訊息就不能再等了。「有事情發生了，我必須跟你說。」

「喔？」

「我在爛泥灘裡發現一個男人的屍體。」

牧師的頭驚訝地抬起一點點。「老天爺啊，是誰？」

「我想他的名字是約翰·懷特。」

「約翰·懷特？喔，他是本地的男孩。所以他出的是這種事。可憐的年輕人。你知道的，這種事偶爾發生。甚至連住在這裡的人都會。可憐的年輕人。」他仰望上蒼，悄然無聲地禱告了一句。「你想要我幫忙做些安排嗎？」他啞著嗓子說道，他的意識正在漂走。

西緬懷疑他叔叔很快就會到達幫不上任何忙的狀態了。「我會負責做好。肯恩能幫忙。」

直到那時為止，懷特的屍體都必須被留置在屋裡。他決心讓肯恩把它移到馬廄去。泰伯斯太太不太可能體諒到讓它這樣攤平在後方客廳的桌子上，不知躺到何年何月。

發現約翰・懷特的屍體之後，西緬想要立刻跟懷特的堂弟查理談談，牧師指認他是莫西島上的不良分子之一。郝茲可能會昏迷一陣子，所以西緬是從肯恩那裡得到去懷特家的方向指引。在那之後，他會去拜訪莫西島上被牧師指出的另一個潛在謀殺犯，瑪莉・芬，她失去五個襁褓中的女兒。如同郝茲說過的，她不會是第一個寧可把某種腐蝕物質倒進子女飲料裡，也不願嘗試餵養另一張嘴的窮困母親。至於嬰兒農場——那些地方位於惡臭的城市裡，女人會付出一次性育兒費用，把不要的孩子永久留下，因此惡名昭彰——布里斯頓的瑪嘉烈特・瓦特斯毒殺了許多由她照顧的嬰兒，後來被抓到，在薩里郡監獄被吊死，此案大家記憶猶新[26]。

懷特住在一個遠離主要定居區域的小屋裡。那裡有種如詩如畫的牧歌風格：門的周圍有紫藤，窗框被漆成綠色。然而西緬說不上來怎麼回事，覺得那棟房子有某種污穢不潔之處，就好像那些紫藤的根腐爛了似的。

泰伯斯太太告訴西緬，懷特在這裡獨居，他最近剛從一位親戚手上繼承了這棟房子。懷特一開門，西緬就做出結論：這棟小屋是靠那名已故女性維持良好的外觀，而且好景不長了。懷特很年輕，還有伴隨年輕而來的俊俏。不過，雖然他那張臉的每個部分都很好看，下巴很強壯，膚色潔淨，西緬還是打發不掉這種印象：就像屋子本身，這個人整體而言有某種走味發酸

26 瑪嘉烈特・瓦特斯（Margaret Waters，一八三五—一八七〇）向無法育兒的婦女收錢，收養她們的小孩，接著再將孩子們毒殺或餓死，據說她殺死至少十九名嬰兒。

的地方。

「你是查理・懷特嗎？」

「倪來到我家。當然知道我是誰。」每個字背後都有一股譏諷之意。

在工作上，西緬時不時必須應付某些像懷特這樣的人散發出的敵意。這對他不造成困擾。

「這個你說對了。」

「而且我知道倪是誰。」

「我很高興你知道。郝茲博士……」

「郝茲博士。」懷特輕蔑地竊笑。

「對。他病了。」

「那就讓他祈禱吧。」

「我確定他就在祈禱。他認為你可能對他的疾病知道些什麼。」

「認為啥？」他發出一個深沉、帶著喉音的笑聲。「我根本不知道什麼讓牧師生病了。」

他靠過來。「但我知道他們那些住在那棟房子的人想要什麼。」他停止發笑。「他們想要什麼，還有他們為此做了什麼。」

在混淆不清的口語底下似乎有某種意義。「告訴我你是什麼意思。」

懷特猶豫了。「問那女人。殺死教區牧師他弟的那個瘋子。既然現在她老公死了埋了，如果還有任何人知道，就是她了。倪們的人說懷特家不配嘗到正義的滋味。唔，看來也許無論如何我們可以分到一口了。」他用嘴唇做出一個啜飲的聲音，並準備關起門。西緬用他的手用力擋住。

「你堂哥的屍體被發現了。」

「我堂哥？」

「約翰。他失蹤了，不是嗎？」

懷特瞇起眼睛。「他是失蹤了。他們在哪找到他？」

「在爛泥灘裡。他現在人在沙鐘屋。」

懷特鄙夷地呼了口氣。「不然他還會在哪裡？」

他把西緬的手推開，用力把門關上。

西緬咀嚼著懷特的話。當然，沙鐘屋似乎是所有這些奇異事件的中心。西緬的父親聲稱這房子有某種邪惡之處，這話每一分鐘都變得更真切。嗯，在去拜訪另一戶人家的路上，他會再想想。

西緬發現，瑪莉・芬住在一個比例很相稱的小房子裡。看到西緬出現在她家門口，她驚訝地眨眨眼，然後才讓他進來——她想必鮮少有訪客，更不要說是穿著乾淨衣服的訪客。她丈夫是某種金屬工匠，從他的工作台那裡看過來，然後一點興趣都沒有地回到他的勞動上。

西緬環顧四周。這個地方的陳設夠好了。幾件簡單的家具，光禿禿的木板上有塊粗毯子。「芬太太。」她猛眨眼睛。「我是李醫師。郝茲牧師是我的病人。兩天前我看到妳在史楚道上注視著在屋外的我們。」他等待回應。沒有任何回應，但眼睛又開始猛眨了。「妳為什麼那樣做？」

「那樣做沒有任何意義，先生。真的。」

「所以為何那麼做？」

她嘟噥著說出她的回答。「牧師不喜歡我們。」西緬注視著芬的丈夫倒了少量的粉狀金屬到一個木碟裡，把它跟別的化合物混在一起。他用一把小玻璃湯匙取出混合物。「妳想那是為什麼？」

「不知道。」她怯懦地回答。

西緬看得出這段對話不會像前一段那樣即時順暢，剛才的查理・懷特很享受蔑視神職人員。「妳知道郝茲博士身體不舒服嗎？」

「有聽說一些。」

「妳聽說什麼？」

「只聽說他病了。」

「妳知道他是怎麼生病的嗎？」

「不知道，先生。」

「妳知道那一家的任何事嗎？」

「我不知道，先生。」

他改變話題，問她對約翰・懷特知道什麼。眼睛眨得比先前都厲害。她認識他，當然，不過他們不是朋友。那他的堂哥查理呢？她跟他毫無瓜葛。然後如此等等，如此等等。

「這一帶的人有講到發生在牧師公館的事情嗎？」西緬最後問道。

「他們……講了些事情。」她丈夫開始把混合物刷到他桌上的一盒鋼刀手柄上。那男人的工作讓西緬分心了。

「那他們說了什麼？」

「他們說那個叫啥名字的女人……」

他猜到她在說什麼。「佛羅倫斯。」那男人在工作台上的行動裡有某種值得注意的東西。

「就是她。說她殺了她丈夫。」他在鋼鐵上用的是什麼？

「那是公開紀錄。我想知道的是……等一下！」西緬站起來走過去。芬的丈夫瞪著眼睛往上看，很驚訝有人打斷他工作。「那些刀子。」他指向刀具。「你在替它們鍍銀。」他的眼睛眨得厲害，就像他太太一樣。這似乎是一種家庭特徵。西緬搖搖頭。他幾乎不敢相信，這個家庭的不幸源頭竟然如此悲劇性地簡單。他把手放到工匠肩膀上。「你失去很多個女兒，」他輕聲說道。他眼前的男人深深嘆了口氣。「曾經有人……懷疑你毒害了她們，不是嗎？」這種指控帶來的刺痛讓他很遺憾，但沒辦法迂迴繞開。

「有些人──」

「唔，我很遺憾。可是你先前是毒害了她們。」西緬舉起其中一把沒處理過的鋼刀。「你在用的這種混合物。」他用刀去輕碰木罐的邊緣。「這是銀跟水銀，不是嗎？」

「哎。」

「唔，銀粉沒有傷害性，但是水銀──」

「我們確定寶寶絕對不會碰到它！」瑪莉堅持。

西緬同情地放輕了他的聲音。「我確定你們沒有，但水銀是一種很不受控的金屬。這就是為什麼我們叫它快銀（quicksilver）。它可能滲進空氣裡，你們會吸進去。」他注視著她。「我很抱歉，但妳應該在懷孕時吸進去了，而它流經妳的血液，進入妳還沒出生的女兒們體內。她們出娘胎的時候就已經中毒了。」

「她們……」丈夫開口了，但半途中斷，不知所措。

「我很抱歉，先生。我們成年人可以承受空氣中的毒，但你的女兒們承受得起的機率是零。」西緬說著，並把一隻手放到男人肩膀上，希望這種知識會帶來某種安慰。話語懸在空中，而他面前的這對夫婦盯著彼此，說不出話來。「如果你們想要再試著生孩子，我可以建議你們怎麼做才安全。」

唔，牧師對瑪莉．芬的疑心似乎毫無根據。不過查理．懷特肯定對陰險的意圖不陌生。

回到沙鐘屋，西緬發現他叔叔起身了，他把一封信按在胸口，還有一隻筆在他旁邊的地板上。他拒絕說那封信件裡有什麼。「我會替你拿一劑補藥過來。」西緬在量過牧師的脈搏以後說道。他去他房間裡倒了杯補藥。他對於補藥的潛在幫助並不樂觀，儘管他的導師們振振有詞，他一直都確信這種飲料的心理影響大於生理影響。

幾分鐘後他回來，牧師閉著眼睛，兀自嘟噥著什麼。

「叔叔，喝這個。」西緬說道，同時把平底杯放到老人唇邊。

郝茲立刻就清醒過來。他把飲料扔到一旁，打碎了玻璃杯。

「該死！有人在毒害我！」他大喊。「我正在被人殺死。一定是她！」他的手臂在半空中扭動，西緬奮力把它們壓下來──幾分鐘前的虛弱表現之後，牧師突如其來的力氣讓人震驚。西緬只能想到一隻老虎的垂死掙扎。

「她不可能到任何靠近你的地方，」西緬堅持：「她被困在玻璃牆後面超過一年了。如果有人在毒害你，那一定是別人。」

「那就找出是誰啊！」牧師厲聲喊道：「找出來！我不會在這種狀態下去找我的造物主。」他悄聲說了某些西緬聽不到的話，然後他再度高聲說話。「如果我死了，不要讓她出來。法官說過絕對不准她出來，否則她就會被帶去瘋人院。答應我你不會這樣做。在跟瓦金斯以及有關當局商量好以前都不行。」

「叔叔——」

「你必須發誓。」

「一定要嗎？」

「是。就想想如果她被放出來，違反法官指定的條件會發生什麼事。」

西緬厭惡被迫發這種誓，不過他的態度軟化了。他叔叔可能是對的，應該遵從合法程序，不然他可能會完全被排除在後續決定之外。

「我誠心發誓。」

「我很高興。這裡。務必寄出這個。」他把信推到西緬手中。「你可以讀它。」這信是寫給主教的。

主教吾主，

我在一件私人事務上請求您最深切的恩惠。我相信我是一宗褻瀆神聖之罪的受害者。某位不知名人士用一種惡劣的毒藥置我於死地。毒藥，吾主。我直言無諱。我請求您派遣一名將會發現惡魔身分的宗教裁判官。我知道有一位由我負責監護的女士，因為我的地位而對我心懷怒火，雖然我接下監護權是當成一項義務，只為了讓她不至於被送進瘋人院。如果不是她，那就是我的僕人之一，或者其中一位本地人，他們在心中培養著對我的祕密憎恨。我的外甥，西緬、李醫師，知道那些有最大理由盼我不幸的人的身分。

吾主，我仍然是以您的形象所建的教會中最謙卑的僕人。

奧立佛、郝茲，神學博士

「你要我寄出這封信？」西緬不安地問道。

「是。還有去找警察來。我想讓人接受訊問。他們必須供出他們的骯髒祕密，或者面對踏刑[27]。」

酷刑折磨？現在可不是十四世紀。「我不相信有充分理由做出這種行動。」

「一定有。信一定要寄。」

泰伯斯太太進入房間。「我聽到有東西碎掉了，先生。」她不怎麼確定地說道。

郝茲俯身到他床邊吐了。這僕人跑過去，從她圍裙口袋裡掏出一塊布來清理乾淨，同時牧師恢復過來，他目光如炬。

「我懂了，叔叔。」西緬說道。他對於這些指示有嚴重的懷疑，不過沒時間爭論了。他設法理解教區牧師那種被迫害感背後是什麼——瀕死者腦中的想法變得古怪甚至偏執，並不算少見。不過要是郝茲的疾病真的有某個就在附近的幕後黑手，很明顯不會是佛羅倫斯。她待在她總是在的地方。

然而西緬必須承認，現在看來，毒藥終究是個很可能為真的解釋。如果真有感染，這是他前所未見的一種，而且任何接觸過郝茲牧師的人也都沒展現出相關的跡象。這可能是某種內傷或者疾病，但不解剖這個男人就無從得知。「泰伯斯太太，能請妳好心地在屋裡過夜嗎？我想郝茲博士需要持續看顧。」

「當然，先生。」

「提隆！」牧師咆哮道：「把提隆找來，他會找到是誰這樣對我。」他把他的方形眼鏡從臉上扯下來並扔到一旁，就好像它們在灼燒他似的。

「誰？」西緬茫然地問了管家。他從沒聽過這個名字，但一個人不會在臨終的床上請求找個疏遠的相識。

「不知道，先生。」她這麼回答，只關心著清潔工作。

西緬彎下腰去面對牧師。「誰是提隆？他很重要嗎？他知道是誰……毒害你嗎？」

「他會找到的，我說了！」

「告訴我如何找到他。」可是牧師只是怒目相向，往後退並緊閉上他的眼皮。他的胸膛往下沉，就好像所有力氣又再度蒸發了。先前是個很令人震驚的展示。

「郝茲太太會知道這個男人是誰嗎？」他問管家。

「我不知道，先生。」

西緬走近佛羅倫斯牢房的冰冷牆壁，站在它前面。他的手指出於自身的意志，朝著反射的

27 踏刑（peine forte et dure）是一種中世紀刑罰，把板子放在受刑人身上，然後讓其他人或動物站上去，重量會逐漸增加，直到受刑人招供或死亡為止。

玻璃伸展開來。

就好像一直在等待他似的，她踏出她私人的套間，迎向他的凝視。她的目光似乎不知為何比過去更深邃，也更有力量，就好像她正在恢復自我。

「你知道郝茲博士出了什麼事嗎？」

她微笑，卻一語未發。先前的情況已經教會他預期這種反應。但這是在隱藏她的知識還是無知？他分辨不出。

他試著換個方向。「誰是提隆？郝茲博士想要他到這裡來。」

玻璃後面的女人自顧自發出輕快的笑聲，在這麼做的同時揚起她的嘴，拉長了她的喉嚨。他看到她修長、有藝術美感的喉嚨線條。然後她轉過身，帶著綠色絲綢移動時輕微的窸窣聲，回到她自己的房間。

第八章

「拜託，先生！快點過來！」

西緬被搖到虛弱無力的醒覺狀態。管家的臉出現在只有黎明後存在一下下的淡藍色光線中。

「泰伯——」

「郝茲博士。我想他快死了！」

西緬踉蹌下了床，沒費事在他的睡衣外面披上衣服，同時抓起他的醫師包。圖書室牆上的煤氣燈已被點亮，但光線微弱，讓房間有一層黯淡的黃色淡彩。只消看他的病人一眼，他就明白，這個男人處於生死之間的斷崖邊緣。

「叔叔！郝茲博士！」他喊道。他拍打男人沒剃鬍子的泛灰臉頰。「醒來啊！」他拉起眼瞼，在泰伯特太太舉高的燈光下尋找瞳孔反應。沒有反應。他嘗試把嗅鹽拿到男人鼻子底下，把氣吹進男人肺部，然後用力搖晃他的胸口想得到一個心跳。

但這沒造就出差別。因為儘管照著他的教科書指示行動，西緬知道他的病人已經回天乏術。他的嘴唇已經血色褪盡；手腕或脖子都沒有脈搏了。不，這位牧者再也不會發出更多聲音、更多憤怒了。

在他疲憊的指示下，泰伯斯太太離開，去肯恩在莫西島的小屋找他，西緬則沉重地坐到一張扶手椅上。這時憤怒帶來的劇烈痛苦貫穿他整個人，他把他所有的器具都從八角桌上掃落。亂成一團的壓舌器、沒用的聽診器、從沒達到滋補效果的沉重補劑瓶，全都滾落到地板上。

所以現在屋裡有兩個死去的男人。在這裡，是一位本來應該在那天早上做週日布道的牧師；在外面的馬廄，約翰．懷特跟他從中被拖出來的爛泥一樣冰冷。沙鐘屋已經變成一個停屍間。

「別難過，西緬。」

這聲音在房間裡響起回音。它同時來自四面八方。它很低微，就像是在溪流的黑水與野生馬尾藻中漂蕩，而且在每一方面都一樣冰冷。終於，那聲音出現了。

「佛羅倫斯。」他是在對自己說，而不是對她。他凝視著黑暗的玻璃。他無法看到玻璃後面的任何東西，但他知道，她在那裡。

那聲音再度環繞著他。「他總是夢想被提拔到天堂去。現在呢……」

在她點亮她的油燈時，黑暗中出現一個火星。那光輝充滿她的房間，把她粗疏的陰影打上牆壁。他站著，並走向她。他可以看到他的倒影兩次——一次在玻璃上，一次在她的虹膜裡。

「我以為妳永遠不會開口。」

「然後我就開口了。」在一位鄉紳之女的細緻語調之下，她的聲音有一種當地口音的不馴暗示。那是平滑表面之下拉扯著的野生海草。

他瞥向沙發上的屍體。「因為現在他死了。」

有一陣漫長的暫停，空氣凝重。「是的。因為現在他死了，我就找到了我的聲音。」

「妳知道是什麼殺了他嗎？」

她把頭歪向一側，看起來被逗樂了。「你是醫師。」她在享受規避的遊戲。

「妳有任何想法嗎？」

「在這裡，西緬？」她揮舞她的手。「在這裡我怎麼可能有任何想法？」

他納悶這是不是真的。「所以妳為什麼現在開口了？」

她坐下來，盯著油燈的火焰。「我認為這是因為我想這麼做。我想聽見我自己。」

「我想幫助妳，佛羅倫斯。」

「你本來是來幫忙奧立佛的，西緬。結果不是那麼好。」她微微露出不懷好意的笑。

「我的醫學訓練只能做到這個程度。」

「喔，我知道的。要用上兩位醫師才能把我放到這個隔板後面。」她往前靠，用油燈輕叩玻璃。「這麼博學的男人們，要用上所有那些訓練，才知道我最好被安置在這裡，免得對我自己、對他們或任何其他男人造成危險。」

他疑惑地想著泰伯斯太太在哪裡，肯恩住得有多遠，還有他們要花多久才會回來。

「我確定他們盡了全力。人能夠做出什麼事——那是我們無法在講堂裡學到的。」

她瞥了死去的牧師一眼。「喔是啊，那肯定是真的。人有時候很令人震驚。我做過的事情，其他住在這個天譴之地的人做過的事情。我從來沒料到會那樣。從沒有。」

他皺起眉頭；她對這麼多事情有所保留。「妳在說什麼？佛羅倫斯，如果妳知道什麼，就告訴我。」她沒有反應。「誰是提隆？」他問道。「郝茲博士本來想要他來這裡。」

「我確定他很想。」

「所以妳認識他？」

「你可以說我們見過面。」

「妳可以告訴我要去哪找他嗎？郝茲博士說這個人會知道是誰毒殺了他。」對一位醫師還有醫學來說，這個訊息來得太遲，不過對一位法官與絞刑索來說很及時。

佛羅倫斯往後坐進她深藍色的法式躺椅中。「我不想再見到他。如果你知道他對我做過什麼，你也不會想。」

這讓他停頓了一下，但他還是繼續施壓。「妳知道他在哪裡嗎？」

「知道。」

「那看在老天份上，告訴我在哪裡。」

她沒有回答他，反而開始兀自唱起歌來，一首甜美、悲傷的聖歌。「與我同住，夕陽西沉迅速。黑暗漸深；求主於我同住。求助無門，安慰也無覓處，無助之助，喔，求主與我同住。[28]」

這對他沒有幫助；這似乎是一種嘲弄。什麼能夠說服她？「郝茲博士對妳很好。他讓妳不必去貝德蘭瘋人院。」

「你有考慮過我屬於那裡嗎？」

這些話來得意外，不過他毫無疑問，她是認真這麼說的。而這有助於解釋她為什麼沒有在郝茲死後，立刻要求得到她的自由。「妳根本不知道妳在說什麼。」

「怎麼說？」

「我去過那個爛地方。妳無法想像那裡發生什麼事。」她玩的遊戲開始惹惱他了。

「那就指點我一下吧。」

「指點妳？」他的情緒擴張成憤怒。「以魔鬼之名，我會指點妳。我見過男人喝下用來清地板的硫酸自殺。妳想知道他們的尖叫聲聽起來什麼樣嗎？」他沒有等著聽答案。「我見過女人生產，然後獻上自己的孩子，只要監督她們的男人願意放她們出去就好。我的天啊，我寧願在街上乞討，也不要把某個人送到那裡。所以不會的，我不會讓妳或者任何其他人類降格到那種地步。」

他在房間裡大步繞行，最後站著俯視郝茲的屍體。西緬已經失去了他的病人，不過這讓他有了雙倍決心要找出這個男人的死因。他回想他上過的課程，憶起一位老教授命令年輕的學生們，在尋找原因的時候要「考量環境」。他遺漏了周遭環境裡的某樣東西嗎？郝茲先前這麼確定他是被毒害的。如果他確實是，然而不是經由人手呢？毒素可以極輕易地溜進家裡——舉例來說，壁紙裡的砷，或者刀柄上的水銀。

他把這個房間拆了。

在玻璃廂房裡傳出的笑聲中，他把椅子倒過來，把書本從書架上抽掉，把那些地毯扔到一旁。

「你在找什麼呢？」她奚落他。

「殺死妳大伯的不管什麼東西。」

「我懷疑你怎麼會在印度地毯下面找到它。」

---

28 〈與主同住〉（*Abide With Me*）是一位英國聖公會牧師兼聖詩作者亨利・法蘭西斯・賴特（Henry Francis Lyte，一七九三—一八四七），在即將死於肺結核前兩週寫出的傳世之作。

半小時後，他摩挲著他疼痛的背部。什麼都沒有。是這棟房子在對他保密嗎？或者是郝茲自己？他的眼睛落在上鎖的寫字桌櫥櫃上。

牧師曾經給西緬看過他收在口袋裡的小鐵鑰匙。嗯，他再也無法守著它了。從死者的腰際取出鑰匙之後，它在櫥櫃的鎖孔裡扭動。前鑲板往下翻轉，露出裡面的好幾個抽屜，而西緬在其中找到常見的各種寫字工具、墨水等等。這是一件很吸引人的家具：櫃子上裝飾性的黃銅工藝，被加工成鳥、水果與武器的形象；同時有個支撐著一層層抽屜的水平鑲板，用一個彩繪浮雕當裝飾，那是一個戴著皇冠的男人睡在一顆閃亮的北極星下，他的名字被刻記在下方：「亞瑟」。不過在西緬從中得到啟發的希望落空時，櫥櫃製作者的手藝就毫無價值了。

他回頭去搜尋房間裡有沒有任何有毒物品，玻璃後面的女人全程都盯著看。他再度檢查壁紙、椅子上的皮革、地毯，但沒有任何異乎尋常之處。

他的凝視再度落在那個寫字桌櫥櫃上。那個彩繪鑲板有某個地方讓他心神不寧。亞瑟王在熟睡。這是每個學童都知道的傳說：亞瑟沒死，只是在艾瓦隆，一個隱藏在人類視線之外的島嶼上沉睡。

他從牧師的座椅上起身，檢查了櫥櫃的鑲板，用他的指關節輕叩。對，聲音是中空的！所以後面有個空洞。而一張寫字桌裡的空洞，只表示有個隱藏的隔間。

然而這個想法並沒有相應的發現，他耗掉幾乎一小時尋找打開鑲板的機制，這向他證明這個任務想來容易做來難。正要去馬廄欄裡找把小斧頭來劈開木頭的時候，他用手指回去摸索那裝飾性的黃銅金工。它可能藏著一個按鈕。他又壓又拉，直到他湊巧同時推了其中兩個小塑像為止。

喀噠一聲，鑲板翻了下來。

一個聲音爬上他的背。「幹得好，西緬。」

看來牧者確實有個祕密。因為在那個空洞裡，西緬找到某種讓他震驚的東西。那是個抽菸器具，用長而直的象牙加赤陶做的菸斗，插在一個方形的陶碗裡。喔，他以前看過像這樣的菸斗，知道它們意味著什麼。然而這一個相當出色：象牙細緻地雕上彼此交纏的花朵，讓一個醜惡的東西變成異常細緻的物品。

「喔是啊，幹得好，西緬。」

「謝謝妳，佛羅倫斯。」他這麼說的時候，帶有從她言詞中溢出的同一種反諷之情。

「我想那值得一個獎賞。」

他從菸斗上抬起視線。「妳是什麼意思？」

「某種東西，從某個意義上來說，可能跟你剛剛發現的品項很搭配。」

「繼續說。」

她躺在她的法式躺椅上，指向最高的書櫃。「你先前開始讀的那本書。」

他記起那本有鍍金字體的奇特紅皮中篇小說。「O．圖克」寫的《金色田野》，講到一個男人在一九三九年越過大西洋尋找他母親。佛羅倫斯以不開口的方式描述過的中篇小說：她只是舉起其中一頁，在上面用墨水圈出字來，當成一種預兆。西緬先前很樂意把書中古怪的時空跳躍故事，放回她現在指著的書架上。

「它怎樣？」

「你太早放下它了。」

「妳是什麼意思？」他把書拿下來，翻到故事進行到一半的地方。

已經一星期沒有任何航向紐約的船。我坐在濱水的酒吧裡，希望會有一艘迷航的船突然出現，提供一趟迅速跨海的航程。我日復一日在桌子上打鼓似地敲著我的手指，掃視著地平線，每天送信到港務長辦公室去問有沒有任何天降好運。當然了，沒有。所以我必須加入有定期行程的「漂浮城市」。那是一艘巨大的船，有能容納超過一千人的艙室，用它巨大的鋅製滑水板飛掠過重重波浪。

我跟我的旅客同伴社交的欲望，比一名殺人犯跟他的手下亡魂社交的欲望還低。我盡可能留在自己的艙房裡，我會冒險出去吃飯，花一小時在甲板上下走動，好讓我的肌肉不至於萎縮。我在日落後做這件事，把必須跟任何人說話的機率減到最低。我不需要擔這個心——定居在我臉上的強烈怒容，把每個人都嚇跑了。我等不及要搭上空中火車飛向加州，跟那惡魔正面對壘。

「不，更後面。」佛羅倫斯堅持。

他翻到故事尾聲，它在書的中間完結，後面都是空白頁。

所以他在那裡。我在這裡。而我們之間什麼都沒有，就只有一股像熱木炭那樣燃燒的憎恨。我可以朝他肋骨裡插進一把刀，動手的同時還祈禱感謝全能的主。因為即使他口口聲聲愛與虔誠，在咒罵一聲所需的時間裡，他就會對我做出一樣的事。問題是：我們之中的哪一個有計劃，還有我們之中的哪一個有膽量付諸實踐？到最後，是我。

「從這裡開始就是空白的。」

「是嗎？把它翻轉過來。」她比手勢叫他這麼做。

他在手上翻動那本書。封底是沒有花紋的紅色皮革。不過在他打開的時候，他發現另一本非常不同的書，書名頁是用藍色墨水跟漂亮的字體手寫而成。

《與立佛．郝茲神學博士的日記》

「妳為什麼直到現在才告訴我這個？」他憤怒地質疑：「這對於調查他的疾病本來可能很重要。」

「或許這就是為什麼。」

他不喜歡她這樣拐彎抹角。「不過他到底為什麼要在這本書的背後寫東西？」他問道。

「因為那是隱藏它最好的地方。」他知道她是對的。她要是沒指出這點，再過一世紀他也絕不會不小心發現它。

「他的日記。」西緬對自己嘟囔。

「他會在晚上唸給我聽。為了娛樂我。」她對這些話露出冷笑，就好像話裡有某種惡劣的臭味。「他在你發現這本書的那天還有唸給我聽。而現在該是你讀它的時候了，我會讓你去讀。」她撤退到她不為人所見的私人房間裡。

他一頁頁翻過牧師的文字。大多數是在祈禱或者執行教區事務中度日的瑣碎紀錄。不過有幾則特別突出。

> 一八七九年四月十六日
>
> 我今天收到一份極其有趣的專論。它是來自聖公會交流通訊學會，描述了「食罪」的古老慣例。這種習俗一度遍布於英格蘭東部，在某些小區域還留存至今。普遍的模式是，在一位有名望的人士舉行葬禮時，有一名窮得身無分文的男性或女性拿錢出席。會有人烤小蛋糕放在死者屍體上，接著這樣的蛋糕會由食罪者拿起來吃掉。他們這麼做，就是把死者的道德罪惡攬到自己身上，在審判日代替死者承受報應。這樣的食罪者因此被他們的鄰居當成痲瘋患者，避之惟恐不及，因為他們體內承載的邪惡就跟神之敵一樣多。他們為了自己活著的肉體，典當了他們永恆的靈魂。一個糟糕的交易。
>
> 一八七九年四月十九日

詹姆斯讓我極其擔憂。他又開始賭博了。他去了倫敦，待在某個聲名狼藉的俱樂部——或者更糟的地方——浪費父親留給他的錢。他拒絕告訴我他輸掉多少——我確定他是輸錢，不是贏錢；説到底，到底有誰打敗過賭桌？——肯定是很大一筆錢。今天下午我發現他在爐柵裡燒一封信。頂端有個紋飾，我懷疑那是來自西敏斯特銀行，他的帳户開在那裡。我會為他祈禱。

一八七九年五月三日

我相當狂亂。現在是凌晨三點，詹姆斯在半小時前回家。他的長褲徹底溼透，可今晚沒下雨，那條褲子聞起來還有海的味道。他肯定是在海浪裡走動。為什麼一個人會趁晚上在這一帶的海浪裡走動？只有一個理由。

我跟他對質。

「別擔心我，大哥。」他用他在這種時候會採用的幼稚語調説道。

「我為你大大擔憂。為你必死的肉體跟你不朽的靈魂。」我回答。

「喔好吧。關於不朽，你必須理解一件事。」我該承認，我被嚇壞了。我知道他會説什麼，我有預感。我本來希望他永遠不會真的説出那些話，希望他至少會把話留在自己心裡。

「你的天堂，你的神。這些全都是胡説八道，老兄。你看不出來嗎？我們活著，我們死去，就這樣。這就是一切！徹底死透。」

其實我一直懷疑，詹姆斯是個無神論者。但聽到這些話被説出來，還是讓我僵住了。當然，上主總是知道他心裡在想什麼，所以這個罪惡現在不比過去更大，然而這是多麼自負啊！

「那必死的肉體又怎麼説呢！」我厲聲説道：「如果你不在乎神的律法，女王的律法呢？」

「什麼，老瓦金斯跟他那些稅務員嗎？他們連自己的腿都找不到。」

「但要是他們真的找上你了呢？」我堅持。「要是他們逮到你跟你的商品，或者隨便你怎麼叫的那些東西？」

「託運品。如果你要知道的話，我們稱之為託運品。唔，如果他們剛好跟我們擦身而過——不是說他們會這樣，我們非常小心注意時間地點——不過如果他們真這麼做了，那我有這個。」

他拉開他的夾克，塞在他皮帶裡的是一把上膛的手槍。我當時當場就要求他把槍拿出屋外。

「為什麼？怕我會用在你身上？」

「不要拿謀殺來開玩笑。」我警告他。我很憤怒，憤怒本身就是原罪[29]，但我相信我相當理直氣壯。

唔，他對著我獰笑，然後上樓去他自己的房間。而我真希望我能說，那是我在當晚最後一次聽到他的動靜。但在我坐下來寫這份日記的時候，我聽到從他套間裡傳出的聲音，太大聲了，無法忽略。那吱嘎聲，那笑聲。行淫的聲音。我不得不同時也聽到她的聲音。

一八七九年五月五日

我幾乎才剛坐下來開始寫今天的日記，半醉的詹姆斯就踉蹌而入。我只有短時間闔上這本書，立刻把它的右邊朝上，好讓它看起來是那則奇特的未來預言。我設法辦到了，但詹姆斯卻窺視到我偷偷摸摸的行動，把它從我手中搶走。「喔呵，哥哥，我們這裡有的是什麼呢？」他格格竊笑。而讓我驚愕的是，他坐下來開始讀那則故事。全程我一直擔心他會把它翻轉過來，發現我的日記——這不是說其中有任何我應該引以為恥的內容，而是一個人喜歡讓他的私密思緒維持私密，而這就是為什麼我把它們謹慎地留在這裡。畢竟，我知道就算我用正常方式記錄它們然後上鎖，詹姆斯還是會以某種方式拿到鑰匙並撬開。不，用這種維護隱私的聰明方法來保護這些日記，比任何鎖都安全得多。詹姆斯連續坐了三小時讀完整本《黃金原野》，沒有一次注意到記錄在這本書最後頁面上的那些思緒，這個事實向我證明我這套方法的效力。在讀到故事尾聲的時候，他已經清醒了一點。「你認為我們將來能夠像那樣飛越空中嗎？」他問道，談的是書裡提到的航空機器。

「如果神意如此。」我告訴他。

「喔是啊，永遠都是『如果神意如此』。」我不欣賞他的嘲弄語氣。「你覺得這故事本身如何——其實是談復仇，不是嗎？」

「『主說：伸冤在我』[30]，」我這麼引述。「這表示我們這些可憐的罪人不該考慮這種事。」

「當然，我們有權從傷害我們的任何人身上奪取補償。就像這裡的主角所做的。」他揮舞著那本書。就好像《黃金原野》跟〈申命記〉一樣權威似的。「他經歷了地獄才找到關於他母

29 憤怒是七大原罪（seven deadly sins）中的第六個，另外六大罪依序是貪婪、嫉妒、貪吃、淫慾、傲慢、懶惰。

30 出自聖經〈羅馬書〉第十二章第十九節；另外〈申命記〉裡也有相關的句子：「他們失腳的時候，伸冤報應在我。」（To me belongeth vengeance, and recompence; their foot shall slide in due time.）詹姆斯說的補償（recompense）跟〈申命記〉裡的報應（recompence）是同一個字，只是欽定版聖經（King James Version，又稱詹姆斯王譯本）裡用的是古式拼法。

親的真相。他的報復是他應得的。他想要就可以這麼做，這是我從中獲得的理解。讓我們思考這些事情，不就是閱讀的重點嗎？」

「這個故事就是個消遣。我重視的是另一本更神聖的書傳達的訊息。」

他用最激怒人的方式翻了白眼。「你到底為什麼還要費勁去讀聖經以外的任何東西？你早就已經有定見了。」

聽到這句話，我要求他離開。但這讓我開始思考：對，這本奇怪小書的作者似乎主張報仇是受冤屈之人的權利。我很納悶在聖經的文字中，對於復仇的所有權提供了什麼樣的活動空間——舉例來說，一個人可以成為神索求正當復仇的工具嗎？我確實感到疑惑，這本紅皮書的作者，「O．圖克」，是否把一個宏大觀念的核心，藏在他對炎熱加州風景與玻璃屋的描述之中。我必須更深刻地考量這個問題。

我本來要記錄今晨稍早的某些事件，但相較之下它們的重要性大減，所以現在我不會勞煩自己寫下來了。

一八七九年五月九日

我在柯契斯特處理主教管區事務，度過愉快的一天。主教在行政事務上需要一些建議，而我很樂意告訴他。我獨自用餐，在八點左右回來。

一八七九年五月十日

我今天在教堂裡構思一篇談貪婪的佈道文。我希望它能激發詹姆斯的良知。就算他是個無神論者，還會因此遭天譴，他可能還有些許道德感。照著我偏愛的做法，我在講壇寫這篇文章，這樣我就可以理解這些話語會如何飄送出去，這時我注意到有人坐在中殿後方。他不是在祈禱，只是靜靜地坐著。我沒有多想，直到將近一小時後，我抬頭看，他還在那裡。我跟佈道文的論證又搏鬥了一陣，一會以後我寫下最後幾個字，此時這個男人還在長椅上，已經幾乎兩小時沒有動過了。

我下去招呼他。說到底，在莫西看到陌生人就夠不尋常了，更不要說是一個在教堂裡坐兩小時卻沒說半句禱文的人。

「我是郝茲博士，這個教區的牧師。」

「我聽說過你，教區牧師。」他用一種粗魯的聲音說道。

「你聽說了什麼？」

「喔，非常好的事情。真是非常好的事情。你相當激勵人心。」

「喔，算不上！」我說道。這讓人受寵若驚，不過驕者必敗，我一直嘗試避免這種炫耀。

「不，不！」他堅持。「我到處都聽說你的熱心奉獻。這就是為什麼我來到這裡。」

「先生，我可以知道您的名字嗎？」

「我的名字？」

「是的，先生。」

「我名叫提隆。」

「喔，就像愛爾蘭的提隆郡？」

「一模一樣。」

「我小時候曾造訪那裡。」

「是嗎？」

「我父親在離開軍隊以後擔任政府公職，他帶我們去那裡待了三年。監督收稅。我非常享受在那裡度過的時光。」

我們多聊了一些，談提隆先生的事——我想不起來他說過什麼——還有我服事主的牧師職務。他讚許我所做的一切。

「唔，牧師，」他最後說道：「我必須回家了。」

「是在哪裡？」

「柯契斯特。」

「你跑這麼遠就為了來見我？」我問道，有點驚訝——而且，我必須在我主面前承認，不能說不高興。

「確實是。」他站起來，拿起他的帽子。「這趟旅程很值得。」

一八七九年五月十二日

今天我無意中聽到詹姆斯與佛羅倫斯在竊竊私語。我設法捕捉到隻字片語，而我發現他們在討論《黃金原野》。我想這極端古怪，但置之不理。我陪伴泰伯斯太太到柯契斯特的市場去買些家庭用品。他們那裡根本在搶錢，這是可以確定的，臥室亞麻寢具的價格現在相當離譜。

一八七九年五月十四日

在詹姆斯的建議下，佛羅倫斯非常奇怪地一直在畫畫。她一直在畫的畫面，靈感來自我偷偷在裡面寫日記的那本書。

其中一塊畫布難以解釋地出現在大廳火爐上方。在我看到它掛在那裡，取代了從我們父親在世時就掛著的田園打獵場景，幾乎跌倒。「以魔鬼之名，到底發生了什麼事？」我忘我地大喊。我先前在雷島上短暫繞了一圈透透氣，結果從我進屋以後佛羅倫斯就一直看著我，這時她爆出一陣我只能形容成瘋狂的大笑。「大伯，我從沒想過會聽你說出那種話。你喜歡它嗎？」她站在樓梯頂端問道。我感覺到我臉頰發紅，什麼都做不了，只能繼續盯著它看。那是一幅她的畫像——毫無疑問，畫的是她——但背景顯然可以辨識出是《黃金原野》裡的一幕，因為她的人身是安置在一棟幾乎完全用玻璃建造，座落在一座懸崖頂端的大房子前面。日照炎炎，就像加州那樣，那裡的天氣比我們這裡更接近印度群島。而且她穿的衣服完全暴露她的身體線條，常態下只有她的女僕才會看到。我相當震驚。

「我沒有喜歡也沒有不喜歡。」我說道，因為我不想顯得粗暴無禮。我想這是某種對她很有意義的東西，而我想讓她快樂。

西緬讀了這些文字，思索著闔上日記。他走下樓梯，盯著那幅畫。加州的光線確實從玻璃牆上反射出來，讓這整棟想像中的房子像燈籠似地發光。他站了一會，忘卻了時鐘的滴答響聲。不知怎麼回事，那個風景似乎比門外的風景更真實。他打從自己的肌肉裡感覺到，他可以往前踏過畫框，走到那個懸崖頂端，去搜尋一個失蹤的女人。

在他的白日夢消散後，他回到圖書室，拿著日記再度坐下。有些比較瑣碎的記事，然後又是一則沒那麼瑣碎的內容。

一八七九年五月十七日

今晚我再也無法忍受。坐在那裡，等著看詹姆斯會把什麼樣的麻煩帶回我們家。我一直待在我房間裡直到過了午夜，沒點半根蠟燭，好讓他以為我睡著了。然後我聽到他來到我房門口，停在外面。我屏住呼吸。樓板的吱嘎響聲遠去，我聽到他走出房子外。

首先，我往上爬到他的房間去照看佛羅倫斯，同時確保她正在熟睡。確實是。幾分鐘之後，我也匆匆離開房子。詹姆斯拿著一盞燈，所以我可以輕鬆地跟蹤他。

我們一路沿著史楚道走，直到硬灘。他往下走上硬灘，並等待著。我藏在一棵樹後面，持續窺視。有艘船在外面下錨停泊，而在我監視詹姆斯的同時，又多來了七八個男人。他們就從我旁邊過來，然後

然後，毫無預警地變得一片漆黑。西緬再也看不到書，或者他把書握在定位的手。牆上的煤氣燈被切掉了。

他的醫學書籍曾經詳細說明自然的古怪特徵，這意味著一種人類感官被關上的時候，其他感官就會加以補償。就這樣，在缺乏視覺的狀況下，他的聽覺變得靈敏了。他可以聽到自己的

心跳——比自然狀態下更快，也更沉重，送出大量血液到他的肌肉裡，以便逃跑或打鬥。

然而他的心臟並不是他能聽見的全部。

「發生什麼事，西緬？」佛羅倫斯在黑暗中冷靜地問道。

「煤氣切斷了，就只是這樣。」當然，不會只是這樣，他告訴自己。如果真有煤氣在屋裡洩漏，他們有中毒或碰上爆炸的嚴重危險，爆炸可能把建築物徹底炸開。他站起來，摸索到他認為是門口所在的地方。不過他絆到某個木頭做的東西，跌倒之後頭部撞到一張桌子。砰然作響的同時，他蹲了下來，等待痛楚過去。然後是一種新的聲音：圖書室的門打開了。還有腳步聲。有人進來了。

「肯恩？」西緬喊道：「泰伯斯太太？」進入房間的無論是誰，都沒有回答，反而突然打開一盞油燈的遮光板，用它照著西緬的臉，讓他目不見物。「煤氣斷了嗎？」他問道。對方仍然不說話。那光束反而掃過房間，打在讀經台上。西緬遮著他的視線，因為沒人回答而開始惱怒。「我說，煤氣斷了嗎？」

伴隨著那句話，燈光關上了，房間再度陷入徹底黑暗。拿著油燈的不明人物開始穿過房間。西緬搖晃不穩地推著自己起身。

「肯恩，你開口說句話行嗎？」

他聽到的回應，只有在房間四周的窸窣腳步聲。然後油燈的光線再度直接從近在咫尺之處燒向他，讓他踉蹌後退，同時他的眼睛被痛楚灼燒著。他出手去抓那不知是誰的持燈者，現在他很肯定他們不是朋友，但他的雙手只抓到空氣。闖入者匆匆退出房間，到了樓梯上。

「我會找到你的！」西緬大喊，匆忙跟著追出去。他看到另一次短促的閃光，這時他在追的不明人物發現了前門，然後衝了出去。那讓西緬再度在漆黑之中掙扎扭動。無論對方是誰，顯然都關上了煤氣，而西緬根本不知道總開關在哪裡。他能做的最佳選擇，就是摸索到樓下的走廊上，他知道那裡的桌上有一盞油燈。他在黑暗中找到了它，點燃之後衝到外面去。

他只看到寒傖孤寂的史楚道與頭上的海鷗。他繞了屋子一圈，朝著馬廄欄裡凝望，在那裡也沒找到任何東西。

回到走廊上，他搜尋著，直到找著煤氣燈總開關為止，他重新打開開關，把燈點亮。「那是誰，西緬？」他一走進圖書室，佛羅倫斯就問道。

「我分辨不出。」他揉著他的頭頂。那裡很快就會有一個馬鈴薯大小的腫包了。

「你知道他們想要什麼嗎？」

西緬走向沙發。他有個念頭，而奧立佛．郝茲的日記明顯失蹤則肯定了這個想法。

「是，我知道。我只是不知道為什麼。還不知道。」他讓自己坐進椅子裡。「你們這裡的小社區真奇怪。偷書賊。把女人關在玻璃裡的男人。死因不明的教區牧師。我還真想不出為什麼會有人想住在別的地方呢。」

「雷島，莫西島——我們跟你們那些人是不一樣的。」

「我開始要接受那種結論了。」他站起來，再度對包覆住他頭顱的一整片疼痛皺眉，然後走出房間。

「你現在要去哪裡？」

「現在？去睡覺。」

「你就要放任那個男人到處跑嗎？」

「首先，我們不知道那是個男人，其次，對，我就要這樣。」

隨著他起身，他注意到地板上的某樣東西。他先前的搜尋留下的碎片遺跡，掩蓋住它的一部分。那是讀經台下方的一張信紙。

他拾起那張紙。

在藍色信紙上，抬頭處是倫敦弓街大都會警察治安官的戳記，這是一封給奧立佛．郝茲的信。只可能是來自牧師的日記，夾在頁面裡，在書被偷時掉了出來。

一八七九年十二月十四日

親愛的郝茲博士，

自從我把令弟媳的人身託付給瓦金斯先生以及您本人聯合照管之後，迄今已六個月。因為我沒有瓦金斯先生的地址，如果您可以把這次通訊傳遞給他，我會至為感激。為了讓我們留下紀錄，我想知道關於這名婦人的現狀。她已經接受刑事審判了，或者是如同您當時建議的，被關到一間精神病院了呢？（而跟她在一起的另一人，安妮．懷特又如何了呢？）

感謝您撥冗處理此事。

治安官奈傑爾．岡特爵士，KBE[31]

31 這個縮寫表示大英帝國爵級司令勳章（Knight Commander of the Order of the British Empire）的受封者，可稱為爵士。

安妮・懷特？這喚起某種記憶。肯恩說過約翰有個妹妹安妮，她前陣子離開了莫西。老天爺啊，這到底是怎麼回事？

「奈傑爾・岡特。警察治安官。」他面對佛羅倫斯，這麼說道。

她的嘴唇顫抖著，不過很快就恢復她的鎮定。「我不知道那個名字。」

西緬注視著她。這幾乎像是在病人身上看到症狀：一連串脫節失常的顏色與動作。「我不相信妳。」

她沒再說話。

⌛

那天晚上他再度從一場夢中醒來。他把約翰・懷特的屍體從爛泥裡拖出來，只是屍體的眼睛突然打開，它的嘴發出聲響，變成了話語。指控。自白。譴責。他在指控誰，他譴責了誰，西緬無法分辨，因為那些聲音是用巴別塔的語言說的：包含每一種語言，又不是任何語言。只有一個發音可以理解，穿過聲音的泥沼出現又消失。*佛羅倫斯。*

西緬把棉被拉開，硬拖自己下床。他必須回到圖書室。

他打赤腳輕輕走進一度屬於牧師的內在聖地裡。就像他上次在夜間造訪時一樣，那房間裡亮著一道光。也像上次一樣，她坐在那裡背對著他。不過這一回，她比他先開口。

「晚安，西緬。」

「晚安，佛羅倫斯。」

「今晚我們倆都沒有入眠。」她彎著身體，轉過來面對他。

「妳又在畫畫了，」看見桌上有一張紙還有一些鉛筆，他說道。她把頭歪向一邊。「妳畫了什麼？」

「另一個時空的另一棟房子。」

高踞在一片海洋之上的奇異玻璃宮殿，出自《黃金原野》的那個。「為什麼妳老是在畫那個地方？」

「你為什麼做惡夢？」

他頓了一下。「我想知道妳如何察覺到我做了惡夢。」

「否則你為何會在半夜起床？趁這裡沒別人在的時候見我嗎？趁現在沒別人可以打擾我們？」

「妳在暗示著什麼，佛羅倫斯。」

「我應該暗示什麼，西緬？」

第九章

在早餐後，西緬寫信給他父親，提議由他來安排他叔叔的葬禮，並處置教區牧師的財產。瓦金斯透過肯恩的通報得知了不幸的消息，就過來討論所有善後事宜。

「有一件事情要考慮，」西緬說：「是關於令嬡的情況。」

「你絕對不能放她出來！」瓦金斯堅持。「先生，還不行。在法律問題釐清以前不行。」

「法律……」

「哎，先生。如果阿拉迪斯聽到她被釋放的風聲，我跟他的協議就一筆勾消了。她會被綁起來帶去瘋人院。」

這就像西緬曾經對教區牧師做出的承諾，他本來隱約期望瓦金斯會加以撤銷。她在玻璃後面已經待了兩年；西緬希望只要花幾個星期，她的地位就可以改變。他對於現狀並不滿意，但這點時間他們還能等。

「要是你堅持就這樣吧。我們必須談談約翰．懷特。」西緬告訴他。

「毫無疑問，我們必須談。」

他們走到外面的馬廄去，死人躺在那裡的一對板條木箱上，等著殯葬業者到來。那天早上西緬進行了更完整的驗屍，隨後屍體被清洗過並且包進裹屍布裡，它已經開始發臭了。「有某件事情很奇怪。」他說道。

「你是什麼意思？」

「唔，首先，約翰是本地男孩。迷路最後溺死在雷島河道裡，這似乎有點不太可能。」

「喔，這種事情是會發生的，先生，」瓦金斯堅持：「這種事會發生。」

「我確定會，而基於這個理由，我把它當成是一場可怕的意外。但接著還有別的事情。這裡。」西緬把裹屍布剝開，指向死者的上腹部。撕裂的皮肉看來讓瓦金斯很困擾。「我必須堅持要你仔細看清楚這個撕裂處。」

「我的天啊，一定要嗎？」

「恐怕如此。」他從他口袋裡的一個錫罐裡拿出一支筆，拉開懷特胃部頂端皮肉上的一個洞口邊緣，戳向內側。看起來很不舒服的瓦金斯，凝視著西緬指出的地方。「他的肋骨。看著它們。你看到什麼？」

「怎麼，他的肋骨啊，還有別的嗎？」

「可是它們處於什麼狀態？」

「說真的，先生，我能說什麼呢？」

「你看看這裡跟這裡。」那裡有一連串尖銳的小刻痕，切入了兩個骨頭的下緣，他用筆尖輕點的地方。第三根肋骨頂端完全不見，失落在軀體或者爛泥中的某處。「這些切痕。」

「爛泥裡的石頭，當然了。」

「不可能。如果他是重摔到一塊岩石上，可以想像會折斷肋骨，可是不會留下這些細細的痕跡。它們是刀子弄出來的。一把強韌的刀鋒，至少戳進去三四次。」

治安官瞪著他，一臉震驚。「你確定？」

「我在倫敦市行醫，每週都看到刀傷。瓦金斯先生，約翰・懷特參與走私嗎？」瓦金斯默不作聲地退後，沉重地坐在一個飲水槽上。

唔，這一點確定了。不只是瓦金斯的女婿牽扯到走私違禁品，畜欄裡的死人也是。連結就在那裡，等著被看出來。

「我料想是這樣，」在一陣意味深長的停頓之後，治安官囁嚅說道。「他們都有參與。」

「感謝你撥冗前來。」他讓瓦金斯離開，便自己進了廚房，他發現泰伯斯太太與肯恩在那裡吃圓盤狀的羊乳起司。周圍的沼澤是放養綿羊與山羊的土地；乳牛在這裡無法茁壯。「我需要問你某件事情。」他說道。肯恩身體一僵，就好像他可以聽到有個難題要出現了。「這些地區有走私犯。」

「現在有嗎？」肯恩回答得很生硬。

「他們在哪工作？何時工作？」

「跟我們無關，醫師。」泰伯斯太太緊張地告訴他。

「我很確定妳說的是真的。儘管如此，泰伯斯太太，我需要知道。」

「那去找某個知道的人。」肯恩吐出這句話。

他感覺惱怒正在累積。「別浪費我的時間。」一陣漫長的停頓出現，空氣很沉重。「約翰・懷特也有份，不是嗎？」

泰伯斯太太讓自己忙於清掉起司跟餐盤。肯恩的下巴左右挪動著。「聽說是。那又怎樣？」

「這個人死掉了，肯恩。」

「溺死。在爛泥地裡會發生。」

「我敢打賭這不會發生在本地人身上。你會有危險嗎？我不認為。」

「不懂倪啥意思。」他挑釁地抬頭瞪人。

「我想你知道。我只是把事情說清楚一點，懷特是被刺殺的。殺死他的是這個。不是爛泥，不是水。是一把刀。」他們看著肯恩手裡的刀鋒，他剛才用來切起司。「我沒有心情聽他的死亡是意外這種荒唐主張。這個男人是被殺害的，而且他是個走私犯。所以我會在哪裡找到他們？」

「好吧，」肯恩不悅地咕噥著。「我不是在法庭作證，所以不會講名字。但今天晚上可能會有事情。」

「什麼時候？」

他又咕噥了。「因為潮水，得等午夜過後。四下鐘響。」他抬頭怒視著。「對倪來說是凌晨兩點。」

「在硬灘上？」

「不然還有哪？」

凌晨兩點；唔，他在醫院值夜班的時候，曾經熬夜更長時間。

他離開他們，走向圖書室。在他進入的時候，房間裡的囚犯抬頭盯著她摸不到的一排窗戶。他納悶地想，是什麼樣的思緒在她體內遊走。她沒什麼事好做，只能讓它們到處跑。

今天她桌上有某樣新的東西，某樣肯定是從她私人房間裡拿出的東西。它是這棟房子小而完美的模型，完全以玻璃做成，就像在書裡、畫裡的那個。就像真正的房子，上層的房間有彩色的門；綠色，藍色，紅色。每扇門後面都站著一個人偶，大小如棋子。小小的塑像耐心地等著遊戲開始；等著下出開局棋步，等著國王被捕。

「你在倫敦有人嗎，西緬？」她莫名其妙地問道。

「有人？」他明白她的目標，但還不想承認。他現在想讓她玩。「喔，你知道我的意思。」她改變了她的表情，他先前從沒在她臉上看過這種表情。那張臉變得靦腆扭捏，像個第一次參加舞會的十六歲女孩。她走近隔板，張大她的嘴，呼氣在冰冷的玻璃上，她的氣息變成凝結表面上的霧氣。接下來她舔了她的手指，在帶著水氣的薄霧上刻劃了一個粗具形狀的心。它在融化消失以前活了幾秒鐘。

他選擇對她誠實以對。不過不是敞開心胸。他不想讓她溜進他體內。

「不。」他說。

「你有過嗎？」

「是。」

「跟我說說。」

「我選擇不要。」

「你覺得羞恥嗎？」

「一點都不，不過妳不必知道。妳知道了沒什麼好處。」

她不懷好意地笑了。「你審問我的過去，然而你自己的過去卻是一團謎。」

「我是來告訴妳，我今天晚上會去觀察硬灘。肯恩告訴我那裡有違禁品要進來。」

「喔。你還在想約翰．懷特，還有他在我們的故事裡扮演的角色。」

「我是。」

「那祝你好運，我的勇士。」她用手指碰觸她的心臟位置，再度開始唱那首聖歌：「無助之助，喔，求主與我同住。」然後他領悟到她為什麼一再重複唱這首歌：他剛好能夠分辨出風中吹來的曲調本身。它肯定是來自莫西島教堂的鐘聲。這是一首哀悼意味如此濃厚的聖歌，一首放棄之歌。

「佛羅倫斯，我叔叔奧立佛死了。而就算妳事實上根本無法殺了他，妳還是會被責怪。妳被說成是瘋到必須被關在這個玻璃牢籠裡的女人。在最好的狀況下，他們會迫使妳進瘋人院，最壞的狀況下，就是上絞架。妳看不出來嗎？」

「我看得出來。」她勉強承認。

「然而妳卻不幫助我發掘真相。以上帝之名，這是為什麼？」

思慮重重讓她滿臉陰霾。「因為我選擇不要，西緬。賭上性命的人是我。」

「妳會輸的！關在貝德蘭或者吊在泰伯恩樹[32]下：不管哪樣，妳都會輸！」

「那就這樣吧。」

這棟屋子發生過什麼事，沒有人像她知道的那麼多，他很確定這點。他如何能夠讓她鬆口？他開始思考。好言相勸或者針對她的未來加以威脅，已經失敗了。不過他或許可以跟她做交易。是的，一筆交易。他需要某種可以交換的東西。不過是什麼呢？

---

32 泰伯恩樹（Tyburn Tree）是位於馬里波恩教區內的公開絞刑架，十六世紀到十八世紀倫敦附近的絞刑都在這裡執行，後來則轉移到新門監獄；在這個故事發生的時間（一八八一年）泰伯恩絞刑架其實已經不再使用，但在口語中仍然代表絞刑。

第十章

午夜剛過一會，西緬已經把他的黑色外套扣到領口處，穿上海軍藍色的長褲。他沒有冒險拿燈籠。今晚他必須避人耳目，不過現在正下著雨，而且沒有停歇的跡象，他的成功機率很大。

他離開雷島上唯一的房子，走向史楚道。潮水正在上漲，威脅著要重新掌控這窄窄的堤道，這座島嶼唯一的出入路徑。西緬在雷島上已經待了一星期，但遠遠不足以理解隔絕這些島嶼的潮水侵蝕或退卻。

在他尋路前進的時候，地面潮溼軟爛，有一兩次他錯過比較堅實的草皮，就往下沉陷到膝蓋深度。他花了一小時走白天只會用掉四分之一時間的距離。但他終於設法過渡到莫西島，經過教堂巨大笨重的剪影。

在此同時，他設法推敲前幾天的事件，以及佛羅倫斯在這些事件裡變換的角色。他持續回到那本中篇小說，《黃金原野》。為什麼這本書變成她跟詹姆斯的執念？為什麼她製造畫作、還有玻璃製的沙鐘屋美國翻版？

現在雨抽打著整座島嶼，他的衣服溼透了。他放棄嘗試把臉上流成河的雨擦掉，讓它們奔流而下。這是個嚴峻的天氣，不過他幾乎無感，全神貫注，因為他面對更大得多的危險。

犯罪者有許多形式，他根本不知道這些人是從溫馴還是野蠻的模子裡印出來的。然而約翰・懷特遭謀殺的屍體就平躺在馬廄裡，所以他不會輕舉妄動。任何做掉懷特的人，都很有可能是闖進屋裡、關掉煤氣燈並偷走牧師日記的男人——或者女人。若是如此，那名罪人已經狗急跳牆，而且對謀殺並無反感。

硬灘是一長條碎石遍布的海灘。在低潮時你能夠踩著沙子與泥巴往外走個半哩，不過現在海浪正輕拍著海岸線。這是個荒涼、絕望的景象。兩排往下延伸到波浪裡的木材防波堤，是唯一能避風的遮蔽物。他蹲踞在其中一排後面，用雙臂環抱著自己來取暖。他只希望他不會在那裡待上整晚，卻一無所獲。

一個小時過去，他的腳已經完全失去知覺。不過他還堅守崗位，決心要徹夜監視。又過了一小時，他必須搖晃自己，才能保持血液流通。

在接近凌晨三點的時候，他終於開始看到低地平線上的形體：朝他這裡加速移動的黑色斑塊。他也聽見他們了：馬兒噴著鼻息，從遠方傳來低鳴。不過地面上沒有砰然重擊的聲音——牠們的蹄子一定包上了碎布，用來隔絕雜音。他在防波堤腐爛的木頭後面蹲得更低，希望馬匹跟牠們的騎士們會一直留在另一側。

幾秒鐘之內，他們就來到海岸線上了。他們一行五人，從他們的馬鞍上下來。一個人吹出尖銳的口哨聲，接著另一個方向——沿著跟西緬同側防波堤的海灘線——傳來馬匹小跑的聲音。西緬把身體緊貼在碎石地面上，看到五六匹排成一列的小馬，身上背著沉重的包裹，由第六個男人引領過來。在牠們後方，有另外兩匹小馬拖著一輛運貨車。

雨霧下的月光仍無法清楚辨識那些男人的臉，只能偶爾瞥見這裡或那裡，但有一個人似乎負責發號施令，而且他是第一個說話的。

「好了，小伙子們。來吧。」那聲音很耳熟，可西緬無法確定是誰。他們開始把包裹從小馬身上拆下來，在海灘上一字排開。其中一人點燃一支纏上浸油破布的火把，把它舉高。西緬推測會有一艘船進來接貨。很快事實就證明他是對的。

一艘大型小艇從黑暗中冒出，方向朝著海岸。在它靠近的時候，沒有一個男人作聲。背著包裹的小馬們在海灘小徑上，在注視大海的男人們後方二十幾碼處。小艇可能會花上一分鐘著陸，西緬這麼猜測，他的好奇心被激起了。他極其小心地讓自己慢慢起身，偷偷越過卵石灘。男人們仍然背對著他，他把握機會打開了其中一匹小馬的包裹。羊毛。毫無疑問是要在未課稅的狀況下進入法國或荷蘭。回報的交易會是酒精與菸草。

他爬回他的藏身地，注視著男人們的領袖，那人背對著火炬。西緬需要知道這個男人是誰，因為他可能是約翰．懷特橫死的關鍵。接著，重大時刻來臨了：那男人轉向他的夥伴們，他的臉被火焰徹底照亮。西緬心中一驚，看出那是他認得的男人。那是莫蒂的臉，他初來乍到時，在佩登玫瑰跟他講話的擺渡人；在火光之下，那張臉紅得像惡魔。

所以是這個男人在經營這個包括約翰．懷特與詹姆斯．郝茲的幫派。那麼他必定對他們的死亡知道些什麼。這個發現雖然令人驚訝，卻來得正好，因為莫蒂雖然很粗魯——西緬還是會對他保持警惕——卻不像是會揮舞著刀子、把一個男人埋進爛泥裡的類型。

他注視著莫蒂指揮上下貨——全程動作迅速，而且幾乎全無聲響。然後船再度下水，這幫人也替馬匹做好準備了。

「大夥兒回頭玫瑰酒館見。」莫蒂低吼道。他自己接管那些背著包裹的慢吞吞小馬，徒步領著牠們沿著海灘小徑走，同時其他人迅速離開。這是西緬的機會，隨著其他人消失在夜色中，他悄悄跟在走私頭目後面。他們走了幾百步，這時擺渡人放手不牽小馬了，走到海岸線旁，解開褲子鈕扣，開始撒尿。

西緬趁機靜靜地走近小馬隊列，檢查馬鞍袋。如他所料，袋子裡現在塞滿了一瓶瓶酒。他拿出一瓶來，打開瓶塞：白蘭地。刻意讓它掉在卵石地上砸碎時，他感受到一股罪惡感。

莫蒂猛然轉身，他的手指凍結在扣起褲子的動作上。「啥？」他氣急敗壞地說。

「你有武器嗎？」西緬問道。

「不。」這個男人聽起來完全被搞迷糊了。

「你其實不該告訴我這件事的。」他拿起另一瓶酒，把它扔到卵石上，它斷成兩截。

「住手啊！」擺渡人朝著西緬走過去，但他猶豫了。他自己一個人，已經六十歲了，又不是大塊頭。

「不必擔心，莫蒂，」西緬說：「我不是警察，也不是收稅員。」

「那倪見鬼的是誰？」微弱的月光幾乎無法穿透細雨，更別說好好照亮一個男人的臉了。

「你上週見過我。我是來這裡治療教區牧師的醫師。」

「醫師？」

西緬走近，剛好足以讓月光照亮彼此的臉。不過他保持了超過一臂之遙的距離，以防萬一。「我對於規避貨物稅沒有興趣。我不在乎那些包裹裡是什麼東西。」

「所以倪想怎樣？」

「我發現了某樣東西。埋在雷島的爛泥灘裡。」

「倪啥意思？」

「我找到約翰．懷特的屍體。」

那帶來一種改變。莫蒂低下頭去。「他看起來怎麼樣？」他問道。
說謊沒意義。「不好看。」
「哎，好吧。爛泥會搞出這種事。」
而現在西緬要打出唯一一張好牌了。「不是爛泥殺死他的。」
「不是……？」
「他不是溺死在泥巴或水道裡。他是被刺殺的。」
有一陣被風雨跟波浪填滿的短暫停頓。
莫蒂的聲音變成低吼。「你怎知道？」
「我看過傷口。有人想殺約翰，而且做得很確實。」
「誰？」
「我不知道。但我想知道。如果你幫我，我們可以找到要負起責任的人。你有任何想法嗎？」西緬問道。
「想法？喔是啦，我是有個想法。」他吐出這句話。現在他走得夠近了，讓西緬看到他為那個念頭表情扭曲。
「那麼是誰？」
「我有要告訴倪嗎？」他的聲音充滿輕蔑。
「除非你寧可告訴瓦金斯先生。」
莫蒂考慮了一下。然後他開口了，每個音節都拉得老長。「詹姆斯・郝茲。」
這種指控沒有讓西緬徹底感到意外。當然，這座小島的某處醞釀著一些仇恨。「你為何那麼想？」他問道。

莫蒂不快地咕噥。「他不見前幾天，約翰說詹姆斯是來自叛徒家族。」

「叛徒？他在出賣你們？」

「不知道他到底啥意思。可是從那時起，我一直監視著詹姆斯・郝茲。」

「然後？」

莫蒂聳聳肩。「從沒看到什麼差錯。」那可能只表示他是個難捉摸的人，也是個不值得信任的人，西緬暗想。「然後約翰就沒影了。所以我告訴詹姆斯，他不能再參與生意了。叫他離遠一點。」

事實證明，這話對詹姆斯來說很不中聽。「約翰到底說了什麼？」

莫蒂遲疑了一下，似乎認定真相對他有利。「我們在玫瑰酒館，存放好剛進來的一批貨。我對約翰說詹姆斯要來幫忙。約翰，他又咒罵又吐口水又抱怨。我問他到底有什麼問題。他說郝茲家的人不是我們想找來參與生意的人。不過不管我怎麼逼他，約翰都沒再多說。現在那種話讓我起雞皮疙瘩。我個人對此的想法跟倪想的一樣，醫師。那個詹姆斯在跟瓦金斯先生嚼舌根。或者更糟。或者也可能他計畫從背後射殺我們全部人，然後接管生意。詹姆斯，聰明人。我不信任聰明人。不信任他們。」

一個聰明人，同時也是很暴力的人？不過詹姆斯・郝茲真的背叛他的合夥人們，然後謀殺了約翰・懷特嗎？這個假定完全奠基於一個死人的話。然而就算這是真的，也只解答了現在長眠在沙鐘屋的其中一具屍體之死。

第十一章

第二天，殯葬業者搭著靈車前來，他恭敬地把約翰．懷特與奧立佛．郝茲的屍體放進棺材裡，然後載著他們——還有西緬——離開。

「有個小小的計畫變更，」在他們上路的時候，西緬說道。另一個男人茫然地看著他。「可以請你把我們載到柯契斯特皇家醫院嗎？」

殯葬業者提出抗議，但最後還是同意改變目的地，幾小時後兩具屍體就擺在陶瓷解剖台上，周圍有淺溝，可以排放切割屍體時流出的血液與其他惡臭液體。

西緬手中拿著手術刀。他背後是一位留著濃密鬍鬚的資深醫師，布里斯托先生，他是來監督這次驗屍的。西緬沒有抗議，因為第二意見其實很有用。

刀子輕鬆切入第一具屍體，他父親表親的皮肉之中。只要施展正確的工具，人體可以多脆弱，總是讓西緬很震驚。細如髮絲的刀片滑進真皮與表皮之間，輕鬆得就好像在切奶油。

對西緬來說，死亡是生命的一部分，而且就跟它之前的階段一樣迷人。他切割、拉開然後舉起；不過對郝茲牧師的內臟做了詳盡檢驗之後，發現它們都是四十多歲男人正常而複雜的器官。沒有扭轉的腸子，腎臟上沒有斑點，沒有任何不妙的東西解釋得了他的症狀，更不用說他後來的死亡。他肩膀上有個皺縮的疤痕，在解剖過程中有被注意到，但那歷史太久遠了，沒有相關性。

西緬把他的注意力轉向男人胃袋的內容。郝茲很確信他是持續中毒的受害者，而雖然西緬不太可能查過每一種化合物，他還是可以排除掉一些。他從牧師體內收集了一團消化了一部分的蔬菜跟湯湯水水的液體，將之溶解在一燒杯的鹽酸裡，接著把一條銅片插進這惡臭的溶液裡，開始等待。

「它會顯示什麼？」布里斯托問道。

「一層銀色塗層表示有水銀；出現暗色薄片指出含砷，或者有可能是銻——雖然在艾塞克斯鄉間找到這種毒素，會滿奇怪的。」抽出銅片，在光線下檢視。「而事實上，它完全乾淨。」

「這是你期望中的結果嗎？」

「這是一種結果。」

他從他袋子裡拿出一罐封好的紅棕色液體。「我從這位病人書房裡拿來的白蘭地，」他解釋道：「我不認為裡面有任何東西，但還是值得查一下。」它給出同樣的負面結果。

「還有許多其他毒素。」布里斯托告誡。

「當然。不過患者的瞳孔沒有放大，那樣表示有顛茄鹼的存在。如果是氰化物，他會在幾秒鐘內死去，而不是幾天。沒有番木鱉鹼造成的痙攣。某種植物萃取物？」他沉思著。「有可能，但無論是誰對他下藥，都必須大費周章，而他們本來可以去找任何一位藥劑師，說他們有鼠患問題，就這樣買到砷。不過沒錯，我們應該要詳盡。」

所以，他們花了好幾小時測驗大量其他毒素化合物，沒有發現任何意料之外的情況。他們疲倦地同意，如果這個男人體內有毒藥，就是很罕見的一種。「嗯，讓我們來看看另一個男人吧。」西緬建議道。

他們把注意力轉向約翰・懷特。西緬用相同方式把他切開。把皮膚與肌肉往後摺，暴露出肋骨——一種骯髒的黃色，因為它們在泥土裡待了一段時間。他透過放大鏡檢驗骨頭的損傷。

「你看下方這三根肋骨上面的垂直切痕。」西緬說道。

「我看到了。」布里斯托確認了。

「你看到它們在底部比較深，然後如何朝著頂端逐漸變細。凶器是往上、往前刺的。不管是誰握著武器，都在這個男人背後。」

「懦夫。」

「確實。」他舉起頸部的皮膚。「對，早想過是這樣了。看，脖子在頸椎第三節斷裂。」

他指向一根較高處的骨頭。

「我看到了。」

「我們的攻擊者可能從背後抓住他，伸手圍住脖子，弄斷它，然後用刀鋒刺進胸腔三四次。我會說，肯定是相當有分量的刀——骨頭看起來夠強壯，而他把這根的末端弄斷了。」他們拉開更多皮肉以便察看肺部。它們在泥巴裡保存良好，而左肺顯然被穿過肋骨的刀子刺穿了。

「死因就在那裡。」

「當然。這個男人是怎麼被發現的？」

「在一個爛泥灘裡浮起。我料想是海潮移動了爛泥堤岸；如果潮水沒有讓他露出來，他可能永遠不會被發現。這不是某種失控的酒後爭執——不論殺了他的是誰，都有意殺他，而且拿了正確的工具，還用得很有效率。我們在找某個那天晚上計畫殺死約翰的人，或者是一個習慣帶刀、有準備也有能力用刀的人。」

「真糟糕啊。」布里斯托一邊說，一邊順著他的鬍鬚。

在回雷島的路上，西緬再度考慮情況。佛羅倫斯肯定是關鍵資訊的寶庫。如何說服她開口？他需要某樣可以交易的東西。話說回來，他心目中的她總是籠罩在這棟房子的微弱光線之下，這意味著又一個交易籌碼。

他一走進屋裡，就瞥見她掛在火爐上的自畫像，然後他迅速地爬上樓梯。他第一次靠近這裡的時候，這裡有三扇覆蓋著彩色皮革的門：通往他的房間、教區牧師的房間以及圖書室；而那些沒有裝飾的門通往其他臥室。不過肯定還有另一道門。他沿著牆壁掃過去。而它就在這裡，一個樸素、狹窄的小開口，嵌在榆樹鑲板裡，有個小小的鑰匙孔指出要如何打開它。

「泰伯斯太太！」他興奮地對樓下大喊。她上樓了，氣喘吁吁。

「現在到底出什麼事了？」

「這一定是通往閣樓的路了，是吧？」

「閣樓？是的，先生。」

「我想上去。」

「為什麼？」她聽起來與其說是起了疑心，不如說是困惑。

「我心血來潮。」

她又喘了口氣，從她的圍裙口袋裡拿出一堆鑰匙。一把纖細的鐵鑰匙插進鎖孔，然後轉動。她站到後方，這時西緬衝了進去，爬上蜿蜒的樓梯，進入屋簷。

這裡塞滿了盒子、灰塵與鳥糞。椋鳥在一角棲息，牠們一看到他就嚇了一跳，嘎嘎亂叫。

「好，好，」他回應牠們。「我不會待很久。」他開始拉開箱子，掀起皮箱蓋子。箱內滿是生命中瞬息即逝的事物：破損的家庭用品、棄置的日用亞麻布製品。然後他找到一箱滿滿的亮色系物品。他闔上蓋子，把它搬下樓梯，拿進圖書室裡。

「約翰・懷特是被謀殺的。」他拖著箱子走進去的時候說道。

「或許吧。」佛羅倫斯回答。她坐在她的法式躺椅上，等待著他。

他漠視她的規避之詞。「是誰殺的？」

她抬頭凝望著窗戶。「我真希望我這裡能有一扇窗戶。不只是光線，你懂嗎？是空氣。我呼吸的空氣來到我這裡時已經污染了，它已經進出過你的肺部，還有泰伯斯太太或肯恩的肺部。我想要來自天空的空氣，新鮮又純粹。」

「對此我無能為力。」

「確實不能。」她聽起來很哀傷。「不過總有一天。」她伸手去拿一枝鉛筆，擺在她桌上的一張紙旁邊。她把指尖放在鉛製部位[33]，在頁面上抹開它幾次，接著欣賞她的成果。滿意了以後，她走到玻璃底下的小艙口，把紙推過來。

西緬立刻認出那個場景。那是加州的玻璃屋，佛羅倫斯與詹姆斯對它發展出熱切得奇怪的興趣，激怒了教區牧師。不像佛羅倫斯的自畫像，這次這棟大宅被困在一場旋轉著悶住一切的

33 原文如此。但鉛筆不含鉛，筆芯是以石墨與黏土混合而成，然而中世紀人以為石墨是鉛的一種，所以稱之為「鉛」筆，這個名稱從此沿用至今。

暴雪之中。線條很細，而且是灰色或黑色的，然而它們仍然有一種難以指明的性質，暗示著西緬可以直接穿過紙張，到達另一個充滿男男女女的世界；在那裡有個男人，在尋找他母親的命運真相。

這個畫面消退了，他回到此時此地。佛羅倫斯替她的臉撲過粉，她的嘴唇比前一天更朱紅。「我在想我從奧立佛的寫字桌櫥櫃裡找到的隱藏物品。那支菸斗，」他說道。那個不尋常的象牙加赤陶製品，曾經讓他吃驚。「那是鴉片菸斗。我處理過鴉片的後果，並不迷人。那是郝茲博士想隱瞞世人的事情。」

「喔是啊。你最好知道那是從哪來的。」她在用她的知識嘲弄他。

「妳會提點我嗎？」

「我為何要這樣做？」

這個問題純粹的虛無主義給他一記重擊。

「因為如果妳告訴我更多，我會給妳一份禮物作回報。」

她挑起眉毛。「但我已經擁有我需要的一切了。奧立佛沒告訴你嗎？」她的聲音裡有一股惡意的暗流。

「我確定妳有更多想要的東西。」他掀起箱子的蓋子。太陽黃的絲布光澤，反射到把他跟她隔開的玻璃牆上。「妳穿著現在這套衣服過日子，已經一年或者更久了。」他說道。

他拿起那件黃色連身裙，她在大廳的肖像裡穿的那一件。它在他手裡暖暖的。下面是另一件，蜜桃色的，然後是一件緋紅色的。

她的嘴角揚起。「你想要我為你打扮嗎，西緬？」她凝視著禮物，然後在她的法式躺椅上坐下。「唔，我的勇士。我們做個交易。我會得到衣物，你會得到訊息。」她若有所思地停頓了一下。「你應該回去倫敦。造訪萊姆豪斯[34]。一棟蓋在河濱地，掛了一盞紅燈籠的房子。我不知道實際的地址，不過我確定你可以找到它。」

他摺起那件連身裙，透過嵌在玻璃裡的艙口讓它滑進去。他放手前一秒她就握住了那件盛放著太陽的絲質衣服，他們的指尖彼此接觸，然後她就把手抽開了。

34 萊姆豪斯（Limehouse）是東倫敦的一個地區。在十九世紀晚期，這裡有大量鴉片菸館。

第十二章

他的早餐是一份豐厚的羊肉派，是泰伯斯太太在一陣鏗鏘響聲之後從烤箱裡拿出來的。她說，她本來打算把這當成午餐，但既然醫師今天要去倫敦，不妨現在就吃。他再三感謝她。

在用厚片麵包把最後一點濃厚的肉汁抹淨以後，他披上他的旅行外套，朝著首都出發。才剛往外踏進新鮮的空氣中，這時毫無預警地，某樣東西似乎讓屋子本身磚瓦動搖。一陣不知從哪來的火箭式爆炸，聲響在建築物旁邊迴盪了三四回。困惑不已的他胃部一緊，猛然轉身。

「泰伯斯太太！」他大喊。「肯恩！」

肯恩出現在馬廄門口。手臂裡是一把雙管散彈槍。「怎麼？」他質問道。

西緬跑了過去。「那是什麼？」

一個狡猾的得意笑容在這男人臉上綻開，暴露出五顆棕色的牙齒跟夾在中間的黑色裂縫。

「那個？過來看看。」西緬帶著某種程度的驚惶不安，密切觀察著那把還有一根槍管要擊發的槍，跟著他進了馬廄。「就在這裡。」那裡有兩個鋪著稻草的狹小隔間。其中一間，約翰・懷特躺過的那個是空的，但另一間有匹年輕小馬的屍骸躺在地上，牠的半個腦袋不見了。「一出生就跛腳。這樣對牠最好，」肯恩告訴他。「跛腳畜生沒用。」

肯恩說話時的獰笑，闡明了他就是在嘲弄這個城裡人。

「用那把槍要小心。」西緬嘟噥道，同時離開他背後的血腥場景，踏著不快的大步走向史楚道。

他很快抵達玫瑰酒館，從這裡雇用了一輛兩輪輕馬車載他去柯契斯特火車站。他在那裡搭上快車去倫敦，而在下午過半的時候，他就到弓街治安法庭了。

「我想求見警察治安官岡特先生。」他告訴門房，門房正忙著把郵件分成低矮的信件堆。

「大人今天不開庭。」

「我可以請問他下次開庭是何時嗎？」

門房確認了一張列表。「星期一。」

五天之後，西緬沒準備等那麼久。是岡特寫信給奧立佛．郝茲，談起佛羅倫斯跟約翰．懷特的妹妹安妮，暗示他曾經在倫敦的某種法律糾紛之後，把佛羅倫斯交給郝茲照管。「這是很重要的事情。我可以知道他的地址嗎？」

「他的地址！老天爺啊，你認為我們會到處發治安官的地址，然後讓這些法庭來的所有狗急跳牆的野獸，大半夜的去拜訪他們嗎？不，先生，我不能交出他的地址，就如同我也不能交出英格蘭銀行的鑰匙。」

這不是個讓人驚訝的回答。岡特被登錄在《名人錄》裡，裡面列出一間俱樂部，讓西緬可以寫信到那裡給他，不過這很有可能不會比等到星期一來得快。他反而注意到有個固定在牆上的招牌。它指向多個不同的法庭與辦公室，這暗示了一種不同的做法。

在門房把注意力轉回去分類信件的時候，西緬偷偷地遵從招牌上的其中一個方向指示，漫步走向往下深入建築物的一組樓梯。

這些年來他發現，檔案紀錄部門總是在地面以下。這可能跟保存紙張較有利的溫度有關，但更有可能是因為在紀錄部門工作的那種人，並不是會抱怨缺乏陽光的類型。他們大多數可能很歡迎這一點。

他下樓時那裡寒冷又潮溼，凝結的露水在漆成奶油色的磚牆底部積成小水窪。他經過兩間有拖把跟水桶的開放儲藏室，一間給紳士、一間給淑女的盥洗室，而在這一切的盡頭，是一扇顆粒狀霧面玻璃門。門上用便宜的油漆漆上白色的字「檔案」。他注意到門鎖是個現代的彈簧鎖，那種鎖會確保門不可能意外地放著沒上鎖。在腰際高度，有個獨立於門鎖之外的把手。門微微開著，而他走了進去。

他有個異想天開的希望：房間可能是空的，讓他可以自由查詢，但在爆滿檔案架的迷宮之中，有個極其肥胖的男人在推一輛手推車，把用白色絲帶綁好的馬尼拉紙檔案夾放進它們該放的位置。他停下他正在做的事，訝異地眨著眼睛。

「我在找高佛瑞先生。」西緬告訴他。

「誰？」

「你不是他？」那男人搖搖頭。「我很抱歉，您是哪位？」在肥胖男人的視線之外，他把手放在門鎖上，輕輕地扭動門把來把門閂往後拉，把彈簧鎖壓到定位，好把它固定在那裡。

「哈里森。」

「抱歉。」西緬回答，從房間裡撤退。他走出建築物，接著走到朗艾克街，他在那裡找到一間郵局。他送出一份刻意混淆視聽的電報給弓街治安法庭的哈里森先生，告訴他說他家發生一場意外，急需他到場。他漫步走回法庭，等了半小時看送電報的男孩匆匆跑進去，又等了一分鐘看那職員衝出門，然後下樓到檔案室去，那邊門閂卡住的彈簧鎖讓他可以進入。他走進去，鬆開彈簧鎖，好讓門在他背後鎖上。

那職員可能住在郊區，或許是史塔克威爾或者克拉潘，這樣會給西緬整整一個半小時，可以迅速翻閱檔案，找到佛羅倫斯跟安妮．懷特如何且為何被一位警察治安官託付給郝茲教區牧師照管的原因。但如果哈里森住得近些，他在時間方面就沒這麼幸運了。他著手工作。

檔案根據犯罪發生的區域與日期排列。即使假定真有一宗犯行曾經發生過——牽涉到佛羅倫斯或安妮，或者兩人都有份——西緬都不太清楚那可能發生在哪裡。他的最佳指標是注意日期。岡特的信裡說，從他把佛羅倫斯與安妮託付給教區牧師照管之後已過了六個月，而想來罪行就比那時再早一點點發生。這表示大約在一八七九年六月。

他搜尋一大堆箱子，檢視那個月的紀錄。時間點點滴滴流逝，四十分鐘之後，他終於找到了。

> 佛羅倫斯．艾蜜莉．郝茲。發現地方治安官瓦金斯治安官的逃犯。懷疑謀殺了她的合法丈夫，一位來自艾塞克斯郡，莫西村，雷島，沙鐘屋的詹姆斯．郝茲。

這就有意思了。瓦金斯宣稱他女兒是逃犯，並且要求幫忙找回她。這件事他完全沒告訴西緬。瓦金斯，一個軟弱的男人，甚至不願為自己的行動背書。

已知佛羅倫斯・艾蜜莉・郝茲也

鑰匙被推進門鎖裡的聲音讓他警覺起來。他用力把箱子的蓋子蓋回去，把它推回架子上的定位，並將檔案塞進自己外套內側。職員匆忙近來，顯然喘不過氣又惱怒不已。他的房子一定就在附近。就現在來說，西細藏在一堵檔案架牆後面，但藏不了多久，他沒什麼選擇，只能厚著臉皮闖出去。

哈里森正在脫一件大外套，這時西細氣沖沖地大步走向他。

「你為什麼沒鎖上你的門？」他憤怒地質疑。另一個人猛然轉身，西細的出現讓他大為震驚，一時說不出話來。「身為岡特先生的代理人，我會對此提出一份完整報告！」他走出去的時候，陰沉地提出警告。「看在老天份上，下次確定你有鎖上門。」他把背後的門轟然關上，然後昂首闊步沿著走廊離去。

他聽到那個男人往外探。「先生？」這句話對著他背後喊過來，但他加以忽略，爬上樓梯，迅速地從建築物的一扇側門出去。他找到一條通往柯芬園市場的通道，蜿蜒穿過人群，以確保不會有人跟蹤或者向他搭話。一會以後他停下來，回顧背後，認定現在安全了，才在花卉街[35]的一間煤氣燈咖啡廳坐定。他打開檔案。

35 花卉街（Floral Street）是實際存在的街道，但在一八九五年以前，它都還叫做哈特街（Hart Street）。

「我可以提供您什麼嗎，先生？某些好東西？」一個女人朝他拋媚眼。她朝著牆角的方向點了個頭。兩個年輕女孩穿著借來的連身裙在顫抖著，露出因為營養不良而不存在的乳溝。

「請給我咖啡，」他回答：「就這樣。」

她聳聳肩，然後就去拿了。

他低頭看他先前讀檔案讀到一半停下的地方。那裡只剩下另外幾行字。

已知佛羅倫斯・艾蜜莉・郝茲也幫助並教唆先前由岡特先生裁定送至瘋人院的已知娼妓離院。娼妓名為安妮・懷特。

怪了。為什麼佛羅倫斯會「教唆」約翰・懷特的妹妹「離院」？他心中冒出種種可能的解釋，沒有幾個合理，不過他平息這些想法，繼續讀下去。

佛羅倫斯・艾蜜莉・郝茲與安妮・懷特被託付給神職人員奧立佛・郝茲博士照管，將回歸出生教區接受審判。

這很讓人挫折。這份紀錄沒解釋為什麼佛羅倫斯潛逃到倫敦，還把安妮·懷特帶離「岡特先生裁定送至」的不知名「瘋人院」。

他瞥了一眼角落裡的兩個街頭娼妓。一個蒼白得很，眼神半死。可能有淋病。他請她過來。她開始移動，但店主立刻出現。

「她不會免費過來。一克朗[36]。」這女人提出要求。女孩看起來很尷尬。

西緬把硬幣滑過桌面，鴇母滿意了，就退到吧台後面，那裡存放著上面停著蒼蠅的肉派。

他拉出一把椅子給那女孩，她坐下。「妳今天感覺如何？」他問道。

「很好，謝謝您，先生。」這口吻肯定比她平常會對客人說的話來得正式。

「妳看起來不太好。」

「我相當乾淨，先生。有保證的。」

他完全知道報紙上的那些廣告，「某某太太的女子修道院」，其中一個房間裡有一位醫師坐鎮，他會在每位客人造訪前檢查那些女孩。他很確定在那裡受雇的收入，會比他自己開業更好。這種房子的常客只會是用紙鈔付款的紳士——說實話，通常就是同樣這批法官跟警監，白天忙著勒令這間妓院的低階競爭者關門。

「我是個醫師。」她明顯地僵住了。「有什麼不對？」

「請您見諒，先生，但我不認為我是適合你的女孩。」

---

36 一克朗（crown）是二十五便士（pence／pennies）。

「不不，我不想當妳的客戶。我想妳並不健康，而我可以幫忙。」

她站起來退到牆角，她的朋友在那裡挑釁地瞪著他。店主走了過來。

「這是怎麼了？」她質問道。

「我告訴她我是醫師，我想她並不健康。」

「醫師？」

「對。」

她的表情緊繃起來。「那你不受歡迎。」

起初他很驚訝；然後他很好奇。「為什麼？」他問道。

「某些壞蛋就是醫師。」

「我知道，我遇到過幾位。但妳在講誰？」

她憤怒地瞪著他好一會。「有人割傷女孩子。」她說。

「妳到底是什麼意思？」

她抬起身體。「就在路那頭。反正她們說他是醫師。很會用刀。她們說，他很享受這麼做。」她哼了一聲，然後把他的錢幣扔回他面前。

「叫她去皇家慈善醫院。他們會治療她的。」他說道。他認識那裡的人。他們會盡可能治好她，不必付錢。

她再度怒視著他。

他拿起檔案離開了。在外面的街道上，他沿著馬路瞥向那女人指出某些女孩被「割傷」的地方。在花卉市場旁邊。這樣的美麗與這樣的醜惡，就在彼此吐個口水就會噴到的極近距離內。

要去佛羅倫斯告訴他可以一窺沙鐘屋某些祕密的地點，現在還太早，他必須打發一些時間。他徒步出發穿過市場。那裡的攤子有賣整個帝國裡能取得的每一種花朵、每一種香料，後者疊放在堆著金色、暗褐色或亮綠色粉塵的籃子裡。他領悟到，這可能是他第一次來到柯芬園，並且真正看遍整個市集。他從那裡沿著花卉街漫遊。街上有更多的女孩子，有些向他招手，不過他把心思放在商店櫥窗裡的商品上。

他的腳自然地轉向東邊的國王學院醫院。他沿著史全德街走，經過他在寒士街的家，從聖保羅教堂陰森的圓頂陰影之下走過，停下來在主禱文廣場買杯嘶嘶冒泡的蘇打，靠在某一排鐵欄杆前喝著。他往上凝視一扇窗戶，他確定跟他角逐醫學研究經費的對手，艾德溫．葛洛佛就在那裡，對著他的圖表與計算辛勤工作。葛洛佛的工作不是完全沒有優點，不是的，但它沒有真正的應用可言。西緬扔掉他的飲料沉澱物，繼續走向醫院。

花了二十分鐘在它的病房之間漫遊以後，他找到他的室友葛雷恩，在肢體斷折病人的病床旁。他在檢查一個男人的腿。從他紅潤的臉孔來判斷，這男人是個葡萄酒商，在痛楚中皺著臉，雖然葛雷恩對此不太注意。

「西緬，老兄！」葛雷恩喊道，把那條腿放到僵硬的床單上。腿的主人顯得如釋重負。

「這麼快就回來了？」

「只有今天。我需要查出某件事。」

「啊，更多研究。」

「的確是。」

「所以，艾塞克斯的狀況如何？」

西緬概述了那個奇異的情況。他的朋友似乎交替表現出震驚與駭然。「我的天啊，」他說：「我還以為只是某個生病的教區牧師呢。」床上的男人驚異得張口結舌。

「喔，我真希望就是那樣。但恐怕背後的事情更糟。」

「唔，小心啊。看來你捅了某個馬蜂窩。」

西緬也同意，他們閒聊了一會，直到時間晚到他可以重新上路為止。

踏出醫院的時候是倫敦的陰森傍晚。一萬戶人家火爐裡的煙，令人不快地跟泰晤士河上滾滾升起的霧幕混在一起。混合物有一種骯髒的綠色色調——像是豌豆湯，在地人吐出濃痰的時候會這麼開玩笑。貴族鬼魂戴著他們的大禮帽跟領帶扣，腳步踉蹌地穿過煙霧，同時年輕的掃街人替他們從馬糞中間清出一條勉強可見的路徑。

西緬叫停一輛出租馬車，要車夫載他去萊姆豪斯。

「先生，您確定？」出租車夫問道。「那一帶很粗野。對您這種紳士來說。」

「多謝你。我知道我在做什麼。」

「隨您的意。」

車夫對馬匹揮鞭，他們疾馳著穿過煙霧。西緬伸手到他旅行外套的口袋裡，抽出他從屋內寫字桌櫥櫃裡找到的那只刻花菸斗。為了替眼前的任務做準備，他把菸斗折成兩段。

第十三章

在出租馬車裡，西緬用一條圍巾蓋住他的臉，希望能盡量避免吸進煙霧的臭味。眺望窗外沒有意義，他幾乎看不到車廂的另一邊。在路上，他想到新派心理學家的教誨，還有其中某些人如何相信我們每個人內在的基本欲望，都在跟我們有意識的道德感對抗。他從來不是用宗教界人士，好比說他叔叔的那種方式，去相信邪惡的存在。他認為行動當然有對錯之分——誰不這麼想呢？——但這不表示它們會在一個人的人格上留下無可磨滅的污點。

「我會在這裡放您下車，先生。」車夫往下喊道。

「我不知道我們在哪裡。」他回答。

「唔，我們兩個都一樣。只是我不敢再往前了，因為我們很有可能到頭來栽進河裡。我把自己的手伸到面前都看不見。」

西緬不再堅持，打開車門跳了出去。來自馬車的燈光直瞪著煙霧，把它變成黃色，但穿透的距離不超過這位醫師伸手能及的範圍。最後來到倫敦的港口區，感覺很奇怪。他以前曾造訪這裡幾回——這在他的地盤以外，不過偶爾他會聽說某個特殊案例，可能對他的研究有幫助。這次他不是以醫師的身分前來，而是偽裝成一種最低劣商家的顧客。

在附近的某處，他聽到兩個人在爭執，是女性。「把它還給我，賤人。還來。」

「那是我的！他給我的！」

「給我，不然我就幹掉妳！」

西緬轉頭遠離那聲音。

「你確定你想離開這裡，先生？」車夫喊了最後一次。

「我確定。」

「這是你的葬禮。」

他希望這句話只是措辭形式，而不是名符其實的真話。但在萊姆豪斯，很有可能是後者。他交出一些錢，車夫用他的鞭子碰了碰他的帽子。

西緬的腳在流水中窸窣前進。某樣東西從他靴子上小步跑過，在他把它踢開的時候發出尖叫。他周圍有這麼多生物，全都看不到，也全都充滿罪惡。喔，他要去一個以新鮮罪惡抹除古老罪惡的地方了。

全倫敦的男人都屈服於鴉片菸斗了。當然，大多數鴉片現在是在大英帝國、在印度栽種，然後運到中國去消耗，這大大違反中國皇帝的期望，然而在倫敦，是中國人在經營鴉片館。

就算藥劑法[37]禁止從理髮師到五金商在內的每個人販賣鴉片，至今已有十年，這個年代的想像卻不願讓它走入歷史：這條街跟下條街都有成打的鴉片館。然而一走進去，有三四家有禮貌地告訴他，他們不賣菸斗；有另外幾家說他們有賣，但沒有一個像這一只；有個店主則完全不肯回答任何問題，還要西緬立刻離開，不可逗留。

在最後的拒絕後，他沿著潮溼的鵝卵石路摸索前進，不時瞥見龐大的陰影穿過河畔繚繞的霧氣。航向廣東或者加州的巨大螺旋槳蒸汽船。加州，沙鐘屋居民滿腦子想著的地方。實際上，他自己有時候想過要去那一州。三十年前的淘金熱讓某些人非常富有，還讓所有人都變得貪得無厭，不過那對西緬代表的是機會，而且沒有醫學建制或狹隘人心帶來的窒息限制。機會是他最想要的東西，只要有機會他就能成功。

然後他發現他在搜索的地方了。

看起來這裡一度曾是海員使命會[38]。它的紅色屋頂搭在一個用變形黃磚塊蓋成的低矮建築物上，有兩排小小的窗戶，同時還有個寬闊的入口，兩側各站著一名黑人水手，他們對他點點頭，就好像在街頭跟一個熟人擦身而過。在他們上方有個紅燈籠，正如佛羅倫斯所說。

他甚至還沒要求進入，就有個嬌小的馬來男子匆促要他進去，有客人上門似乎讓他大喜過望，他推著西緬穿過一道內門，進入一個敞開的大廳。西緬發現四壁都有成排的上下鋪，擠滿枯瘦的臉；同時有一股濃厚的藍色霧靄從一張張嘴巴飄散，從小燈上冒著泡泡的煙管裡噴出。

大多數臉孔是男人的，他們帶著倦色的五官指出他們已經過了中年，不過西緬很清楚鴉片如何讓人蒼老，所以估算一名鴉片癮君子真正的年齡時，應該根據他的外表減去十歲。貧窮、戰爭或疾病，耗損人的程度都比不上鴉片菸斗。接著那些臉變成了野獸般的臉，轉變成吱吱喳喳的猴子，所有的人性都被吸走了。

「不——……我會……我會……付錢。我有……」少數女性裡的一個，從她的床鋪上被拖走時嘴裡嘟嘟噥噥。她的目光鎖定在走過的西緬身上。「先生，你願意借我……借我一……」她

37 這裡指的是一八六八年頒布的藥劑法（Pharmacy Act），管制了許多毒藥與危險藥物，鴉片也包括在內。

38 海員使命會（seaman's mission，正式名稱是The Mission to Seamen，現已改名為The Mission to Seafarers），是一八五六年成立的基督教慈善機構，主要目的在服務與支持海員的各種生活與身心問題。

跪倒在他面前。

他彎下腰去量她的脈搏。「妳冷靜點，」他說。她的心跳緩慢卻很規律。他從他口袋裡拿出兩枚錢幣，把它們交給馬來人。「一枚給你，另一枚叫輛出租車帶她到最近的廉價旅館。」

馬來人鞠躬行禮，拿了那些錢幣，同時推著那名女子朝著街上去。西緬必須開始把他的錢包看得更緊些了；這趟旅程變得所費不貲。

寬廣的房間裡有寶貴的一點熱氣，那裡的任何溫暖都來自房間盡頭的一座簡陋火爐，在它周圍有十來個身體在打瞌睡，或者躺著不省人事。有一兩個人趁著回歸外面的世界以前，先暖暖他們的骨頭，他們已經耗盡自己的身體與口袋了。有一個人蹣跚走開，同時喃喃自語：「我現在是誰？我現在是誰？」他跌到一張空床鋪上，抓起那裡的煙管，把它放到嘴唇上然後用力吸吮，完全沒察覺到它是冷而空的。一位只穿著長褲的男人走過來，抓住那個男人的腳踝，把他硬扭出去。「我的菸斗。」他用某種西緬根本分不出打哪來的口音低吼道。

西緬的視線落到躺在床鋪上的一個男人身上。跟其他人不同，這個男人沒在抽他的鴉片，而是啜飲著一個綠色瓶子裡的東西。他有兔唇，導致液體從他的下巴滴落。

「你想嘗試一點嗎，先生？」那男人問道。他咧嘴笑了，露出一個沒牙的深淵。然而他說話的聲音很有教養，聽起來是個上過大學的男人。「在這個體制下過著低階生活的人喜歡追逐龍。我，我寧願用白蘭地來淹沒它。」

「這樣我懂了，」西緬回答。「但你必須理解，鴉片酊一樣會讓人上癮。」

「喔，喔，你不必告訴我，先生。我是有完整資格的皇家外科學會會員。」

西緬嘆息了。他曾見過其他的醫學同儕屈服於他們自己的藥。一個人預測到自己腐朽的命運，卻仍然落入其中，這種事情有某種特別的悲劇性。「那麼我建議你小心：仰賴你的訓練，除了鴉片帶來的樂趣以外，也考慮它的危險。」

「我確實小心了。」這男人更加狂亂地堅持。

「那麼是如何小心呢？」

西緬領悟到，這位墮落外科醫師的心智比最初看來更混亂。「如何？就這樣啊！」他從他骯髒的襯衫裡拿出一支長湯匙，把它插進瓶子裡，奮力攪動那杯飲料。「你必須把它攪拌均勻，否則鴉片就會沉到瓶底，在你透過酒瓶補充的時候劑量就會增加。你必須這樣做。」他又喝了另一口，然後提供給西緬。「先生，你自己試試看。」

「感謝你，但不用了。」他的思緒憂鬱了一會。這個男人本來應該治療他周圍那些瀕死的靈魂，而不是加入他們。如果可以把他拖出這個地獄之口，他還有可能甩掉這個癮頭，回歸他先前的職業——雖然在鴉片離開它征服的土地以後，他的身體會有顫抖與出汗的駭人後果。

「你會希望我為你聯絡任何人嗎？家人或朋友？也許你的某些老同事可以幫忙。」

「幫忙？怎麼幫？」這男人似乎起了戒心。「我向你保證，先生，我不只是快樂。我是狂喜！我希望留下來！我希望留下來！」他抓住西緬的襯衫，西緬必須把他的手輕輕鬆開。

「如果你想，你可以留下，先生。」

「我想！我必須！」

跟已死之人爭論沒有意義，西緬疲憊地告訴自己。

「你不像我大多數的顧客。」這聲音很年輕，而且是女性。中國口音。他轉身面對她，看到一名穿著修女袍的年輕女性。

「妳不像萊姆豪斯大多數的女性。」他這麼回答。

「你是指這個？」她拉拉她的包頭巾。「我是被廣東的神聖補贖姊妹會養大的，先生。我的心會永遠與她們同在。我可以替您拿一根煙管。」

「我有根煙管，不過它斷了，而我希望更換它。」他從他口袋裡拿出煙管，展示出來。

她拿了煙管，仔細地檢視斷裂的兩半。「象牙與赤陶很不尋常。大多數男人喜歡陶瓷。」她的眼睛在邀請他。「煙會比較熱。這就是為什麼。」

「這只煙管是妳的嗎？」

她回答時的聲音像蜂蜜。「我自己做了這支煙管。這是我的。現在它是你的了。」

「妳認得它？」她用她的手指細緻地沿著煙管摸過去，沿著雕刻花朵的莖幹，而在她的手指來到象牙斷裂處時皺起臉。她點點頭。「那麼這裡一定是我哥哥來過的地方。」他說。

「必定是。」

「也許妳記得他？」

「也許我記得許多男人。」

「他不一樣。是個教區牧師。奧立佛・郝茲。」

她停頓了一下，在她舌頭上翻滾那個名字。「我不認識他。但我認得那煙管。這根煙管是由叫另一個名字的男人買下的。」

「誰？」她相當安靜地站了一會，然後才帶路到後方的一個房間。那裡有著她家鄉的風格。粉紅色絲布在凳子上飄動，還有小陶瓷動物排列在一個壁爐架上。這裡充滿了茉莉花香。

「誰？」西緬又問了一次。他把一個明亮的基尼硬幣放在桌上。對，他有必要非常密切地看管他的錢包。

這女人打開了一個綠玉盒子，裡面裝著一排整齊的香菸。在每一支香菸的紙張中央，都有一條長長的棕色污漬，說明它們包含的不只是菸草。

「謝謝妳，但不用了。」

她拿起一支菸來點燃，讓煙延伸到天花板，並打開另一個盒子。裡頭裝滿了繪畫材料。她拿出一罐紫色墨水，它擺在三隻按照筆尖粗細，排列整齊到不可思議的鋼筆旁邊。她選出最小的一支，用它沾了墨水，在一張紙上畫出彎曲的線條。西緬等待著。筆尖再度沾溼，另一條曲線出現了。墨水一再增補，直到一張臉浮現。那是一張有著圓眼睛跟強健鼻子的歐洲臉孔，畫它的藝術家賦予他的生命，是一個穿著東方皇帝服裝的男人。那張臉很熟悉。

「這個男人是你在找的人。」她說道。

「他叫什麼名字？」

「他的名字叫做提隆先生。」

西緬再度聽到他叔叔在垂死掙扎中，喊著要找提隆。

「你對他知道什麼？」

「知道什麼？我們不會對我們的客人提出很多問題。」她告訴他。

「我確定如此。不過總會知道一些吧。」

她伸出她的手掌，在油燈火焰的黃色與爐火的橘色之中帶著淡淡的粉紅色。他把他最後一枚明亮的克隆放進那手掌裡，手掌在金屬旁邊合攏。

「我的許多顧客，都少了點什麼，」她說：「提隆先生讓我覺得，他這個男人少掉的是全部。你理解我的意思嗎？」

「我相信我懂。」

「我通常為我的顧客們感到遺憾。但我不認為有任何事，可以讓我為提隆先生感到遺憾。你不可能為一個內在空無一物的男人感到遺憾。」

一個內在空無一物的男人。西緬曾經治療過像那樣的病人。那些男人處於四處摸索的艱苦人生盡頭，他們似乎從很久以前就已經死了，只有他們的身體在移動、呼吸與進食。這個男人，提隆，處於佛羅倫斯與郝茲一家所有遭遇的核心，他就是這類人裡的一員。

「我想見見他。」

「他是個可能惹出麻煩的男人。我為何要幫你找到他？」

「因為妳不想讓他回到這裡。」

她頓了一下，然後，不知從哪掏出一個小鈴鐺搖了起來。一部分貼著粉紅壁紙的牆滑開了——一道刻意讓不識門路者看不到的門——深色皮膚的大塊頭男子走近。女主人對他發話，同時還盯著西緬看。

「你上次見到提隆先生是什麼時候？」她問道。

「提隆？」這男人低吼的口音屬於愛爾蘭人。「那混蛋還欠服務費用。一年或者更久沒看到他了。」

「而妳給他什麼服務？」西緬問道。

女人對著她的助理點點頭，叫他開口。

「派一個人去幫他重新拿回他的某個資產，在聖喬治原野那裡。根據他的說詞似乎滿容易的。結果是一場難搞的大打出手——不是他說的那樣。你有看到他？你告訴他，紅燈籠的法蘭克還沒忘記他。」

「我想我們只能幫你幫到這裡了。」他的女主人說道。

在建築物之外，西緬開始走路，尋找一輛出租馬車。他的思緒裡出現了提隆、鴉片菸管、約翰・懷特攤開來的屍體、《黃金原野》，還有囚禁在玻璃後面的佛羅倫斯。它們全都滾在一起，像是透過沙鐘屋的沙漏風向標落下的沙粒。

他經過碼頭邊緣。在水中，他瞥見他後方某一棟房子的影像。倒影泛起漣漪。而他看著它移動，每秒鐘都解體又重組，此時一個念頭像箭似地射中他。這是個灼人的領悟，關於奧立佛・郝茲博士遇害的突然領悟。他，西緬，一直從錯誤的角度看待這起死亡事件——其實他看到的只是倒影，反映在那男人塞滿書本的地盤盡頭黏著的黑色鏡子裡。現在，西緬知道教區牧師是怎麼死的了。

第十四章

他光速回到雷島，心思有如一個暴亂的劇場。演員們似乎奔上了舞台，吼出一片混亂的台詞，被木刀刺傷，處於垂死邊緣，然後又以不同的偽裝回歸。

在他抵達屋子的時候，泰伯斯太太來到客廳迎接，還提議要給他燉魚湯喝。他把問題放到一邊去，反而提出一個他自己的疑問。「牧師多久喝完一桶他的白蘭地？」

「一整桶嗎？喔，他喝得不多，先生。可能輕鬆就喝上一整年。」

「我想也是，」他回答。「我可能也是一樣。不用魚湯了，謝謝妳。」

她困惑地看他一眼，然後離開了。他盯著窗外，眺望被屋裡煤氣燈照亮的雷島荒野風景。他的心思安定下來，然而他現在知道的真相就跟外面的風景一樣陰冷。

就是這裡讓這一切成形嗎？他自問。一塊枯萎草皮上的男人與女人。它不會把任何人逼得心靈枯萎嗎？

他召來彼得．肯恩。這個男人來了，雙手骯髒，還握著一把鏟子。「我在埋葬那匹死掉的小馬。跛腳畜生沒用。想幫我挖洞埋牠嗎？」他傲慢無禮地說道。西緬派他立刻去把瓦金斯帶來，然後上樓到圖書室去。佛羅倫斯坐在小八角桌旁，上面放著容納他們所有人的房子的玻璃小模型，三個人偶在上層的彩色房門後面等待，就像演員準備好要表演他們的角色。爐柵裡有一爐火，它的紅色火光在西緬為她挑選的黃色絲質連身裙上面飛舞。她再度唱起那首聖歌裡的一段，「無助之助，喔，求主與我同住。」

西緬感覺到一股衝動，從其中一個書架上抽出一本地圖集，打開美洲地圖的頁面。他把他的食指指尖放在加州，手指輕敲著一塊沒有標示的陸岬，他知道將來有一天那裡會被命名為杜姆角。

「別去，西緬。」她輕聲說道。

「為何不？」

「不會有好下場。對你還有你的家人來說是悲劇。」她用手掌摩挲她製作的玻璃模型。

「妳怎麼知道不會有好下場？」

「喔，西緬，我們都知道。全都在《黃金原野》裡了。這不需要花太多力氣：這裡一點雄心壯志的火花，那裡一點閃現的憤怒。罪惡會累積起來，直到整棟屋子燒掉為止。問題在於空氣中的塵埃；它讓血液腐敗。」

大約十點左右，瓦金斯終於抵達，西緬給他一杯酒，他接受了。

「現在呢，瓦金斯先生，我可以拿到那本書嗎？」

「什麼書？」治安官瞪著自己的腳。

佛羅倫斯從迷你沙鐘屋裡舉起三個人偶，把他們一個個放下，放在屋子前面。

「你很清楚是什麼書。奧立佛・郝茲的日記。」

「我根本不知道——」

「請別浪費我的時間，先生。我知道你拿走了。而且我知道為什麼。」

瓦金斯似乎覺得羞恥，但召喚出一點點力量。「是嗎，先生？那請解釋你如何達到那個結論。」

「我會的。」他暫時停頓，集中他的思緒。「我本來一直無法理解奧立佛・郝茲是怎麼死的。」佛羅倫斯把其中一個人偶撞倒了。它在桌面上滾動了一下下。「可能是感染，但如果是這樣，是哪種感染？我辨識不出任何一種，而且似乎沒有別人有這種感染。你們這裡全都是些吃苦耐勞的靈魂，而且在我解剖驗屍的時候，沒有嚴重內臟疾病的跡象。不，我終於改變立場，接受郝茲博士自己的假說：他是上個月中毒的。」他忽略瓦金斯表面上明顯的震驚。「話又說回來，如何下手的問題徹底難倒我了。他吃的食物跟肯恩還有泰伯斯太太一樣，他們都沒有展現出任何病徵。當然，有可能是他們其中一人，但說真的，為什麼他們會想要謀殺他們的雇主、讓自己陷於赤貧，這會很難解釋。就算他們確實想這麼做，還有更容易的辦法：他們可以趁他睡覺時悶死他，沒有人會知道。」

瓦金斯看起來像是要提出抗議，卻想不出任何一種說法。西緬繼續說下去。「只有一種飲食來源，是郝茲博士獨享的：他的睡前白蘭地。酒桶是他生病前一天新換的，不過他在我的指示下停止喝它超過一星期以後，還越病越重；此外，我們在肯恩可憐的狗身上測試過那桶酒——除了讓那條可憐的雜種狗醉到不行以外，沒有任何影響。我自己後來也在柯契斯特皇家醫院檢測過那桶酒，它相當無害。不，酒桶沒有被人下毒。的確，上個月沒有人對奧立佛・郝茲下毒。」

「那你到底要說什麼？」瓦金斯質疑道，終於激動起來了。

「很簡單，先生。」

「那告訴我啊！」

「有人從一年前就毒害了他。」他感覺有那麼一點點得意。也很憤怒事情發展到這一步。

「一年前？不可能的。誰？」

「你的女兒，瓦金斯先生。」說出這些話，而且在說話時看著她，真是一種解放。

「佛羅倫斯。」瓦金斯倒抽一口氣。看來戲該收場了。

她把所有玻璃人偶掃到地板上，只留下透明的房子。

「對。佛羅倫斯。」他的眼睛仍然鎖定她。「在超過一年前，她最後一次被放出她的玻璃牢房時，她毒害了奧立佛．郝茲。」

瓦金斯往後癱倒在他的椅子上。「但怎麼可能……」他沒把話說完。

慢慢地，以送葬步伐那樣的節奏，她舉起雙手，把手掌貼在一起。啪。啪。啪。「說得好，西緬。你是把鋒利的小刀。」她的聲音聽起來也像把鋒利的刃。「我很納悶你還知道或猜到了什麼別的。」

他凝視著她。「既然妳問了，對於約翰．懷特之死，還有這棟房子的居民們如何牽涉在其中，我有強烈的懷疑。還有詹姆斯是如何捲入的。然後是約翰的妹妹安妮，妳在倫敦找到的人。她現在在哪裡？那是我們需要回答的問題。」

瓦金斯再度脫口：「你認為她也發生某種不測？」

西緬的目光沒有從玻璃後面的女人身上移開。「對，我這麼認為。妳不認為嗎，佛羅倫斯？」他沒有繼續闡述下去。瓦金斯總是落後他女兒三步。「在妳找到她以後出了什麼事？」她對他露出一臉喜色。「這全都在郝茲的日記裡，不是嗎？」他對瓦金斯說道。「那就是為什麼你偷走了它。為了保護你女兒。這是你先前沒做到的事情。因為日記內容會引導我得到結論，佛羅倫斯犯了謀殺罪。」瓦金斯發出一聲小小的呻吟，然後喝乾他的酒杯。他女兒輕聲笑出來。但西緬的心思仍然集中在那本書上，別無其他。「我假定她在奧立佛死後告訴你日記的內容。」治安官這次沒有抗辯。「那麼看在老天份上，我們趕快結束這個鬧劇。把日記給我！」

「我……」

「我說我們把日記給他吧，父親，」她說道，比起最近一段日子，現在她的聲音沒有被玻璃弄得那麼模糊了。「你現在有什麼好在乎的？我有什麼好在乎的？」她無憂無慮地揮著她的手。

「派肯恩到你家去拿。」西緬命令他。

「不需要，」瓦金斯嘟囔。「它從沒離開房間。」

「什麼？」西緬怒不可遏。它還在這裡！他花了那麼多時間思索它的所在地。

瓦金斯從額頭擦去汗水。「我跑掉的時候怕你會抓到我，所以我把它安全地藏在這裡，在黑暗中。那樣你就拿不到它了。」

西緬花了點時間思考這個訊息。這個男人把它藏在房間裡，但他能放在哪裡，好讓西緬不可能偶然發現它呢？喔，只有一個地方了。西緬轉向玻璃。

「把書給我，佛羅倫斯，」他說道：「我想讀到奧立佛・郝茲的第二人生。」

她把手放在桌上的迷你玻璃屋上，讓它往旁邊翻倒。「你認為我們是自身命運的主宰嗎，西緬？喔，我看出你確實這麼想。嗯，你錯了。我們是別人的玩物。」她的聲音很低微，再度糾纏在野生馬尾藻之間。「你稱之為第二人生。」

「是。就是那樣，不是嗎？」

「或許。」

她走向排在她牢房後牆的書架，伸手用她的手指沿著最高的架子摸過去，然後停在書脊上有金色字體的一本薄薄紅書上。她本來可以把它拿到她的私人套間裡，那樣它會完全處於視線範圍外，但她顯然很享受西緬時時刻刻看到它，卻又從未看見的事實。她把書抽下來，走到供應她三餐的那個小艙口——毫無疑問，瓦金斯就是這樣把書交給她——而她蒼白的手把它推了過來。這是第二次，他們的指尖相碰，而且維持了一會，接著她緩緩退回她自己的世界。

「妳為什麼不讓我看？妳先前要我讀它的。」

「那是我父親的作為。他來到我這裡，要求我別讓你知道完整事實。這比較是為了拯救他自己的名譽，而不是我的性命，而我讓步了。」瓦金斯似乎把自己縮得更小了。

西緬放過這件事。他急切地想知道日記的內容，那些他還沒讀的部分。他把書翻過來，再度打開封底，揭露出奧立佛・郝茲的祕密日記。他從他讀到一半的地方繼續。

一八七九年五月十九日

那個好人提隆在今天傍晚找到了我。我在柯契斯特的泥水匠之臂，剛跟司祭長談完財政事務，正在吃韭菜湯，同時閱讀一份論教會貧困的專論。「哈囉。」我說著並抬起頭。沙龍中有許多人，而我確定他們大多數人應該待在大眾酒吧裡[39]。

「我一直在找你。」他對我說道。

「喔，為何如此？」

他坐了下來。「我餓壞了，」他這麼宣稱，然後直接從我手中拿起湯匙，喝了一些我的湯。

「我一直很忙，那就是為什麼。」

「忙著做什麼？」他把湯匙從我手中拿走讓我很惱怒，但我放過此事，因為我有預感，他有某件重要的事要說。

「檢查。探究一些事情。而我會告訴你某件事，我的朋友，我相信我們錯失了——唔，是你錯失了——一種可以玩的把戲。」

「你指的是什麼？」

「有某件事告訴我，你不是個自由人。」

「不自由？荒唐。」我回答。我必須承認我有點被他侮慢的語調惹惱。「看看我的手腕，你有在上面看到鎖鏈嗎？觀察那道門——它被鎖住了嗎？我可以站起來走過那道門，騎上我的馬回家嗎？」

「不，你手腕上沒有鎖鏈。」在此他靠了過來，而我可以從他的呼吸裡聞到某種死屍似的東西。「然而……」他坐回那張粗糙的長椅上。我以為他會說上更多，但他等待著。然後我立

---

39 在當時的英國，沙龍（saloon）指的是有入場費、或者酒水比較高價的酒吧，裡面可能會提供其他娛樂（像是歌舞表演），比勞工階級去的大眾酒吧高級。

刻領悟到，他確實擊中了一個讓我困惑太多年的問題。這個問題關乎我們的天父賜予我們的自由意志。

「然而？」我催促他。

「然而你無法。因為這抵觸聖經告訴我們的一切。」而且確實如此。

「真讓人驚訝。」我把碗推到一旁。我對它不再感興趣了。

「你希望有我擁有的。」

「你在我看來不像個有錢人。」

「管我的現金去死！」他咆哮道。「你想要我真正擁有的：奪取與自吹自擂的自由。隨我的意願尋歡作樂的自由。」

對於這個主題，他變得相當熱切。「而是什麼讓你相信，我會贊同對我的人生做任何這樣的補充？」

「我看著你日復一日閱讀聖經。」

「我沒有見到你。」我說道，對於那個斷言微微感到吃驚。

「我坐在教堂後方。」

「我懂了。」我不確定是否要相信他。

「而每一次，我都在你的眼睛或者你嘴部的牽動中看到某種東西。對於七大罪或者十誡中的每一個，那裡都有……」

「有什麼？」

他憤怒地迴避那個問題。「我航行過全世界。你有著水手靠近一塊新陸地時的那種表情——

急切地想跳上岸，品嘗他能品嘗的一切。」

我喝了一小口我的啤酒，從它的杯緣上方注視著他。「真的嗎？」我放心了。「喔，不過你在嘲弄我，一個可憐的鄉下教區牧師。」

「可憐！哈！我們可以同意你絕對不是那樣。一個鄉下教區牧師，對的，不過可憐，才不呢。我不能接受這個。」

是。這個人有深度。我站起來離開了沙龍酒吧。我知道他會跟上。

「我覺得你的言論很有意思。我不是說我會照做，不過就現在來說，我很好奇你的論證終點在哪。」

「要不了多久你就會看到的，」他有些隱晦地說道。「我想讓你看某樣東西已經有一段時間了。現在時候到了。」

「我是忙碌的人。我不能做些徒勞無功的傻事。」

「確實，確實，」他承認。「但你會從這件事裡獲益。」

我領悟到我們已經走到城鎮比較富有的區域，我只在司祭長或者其他這類傑出人物的邀請之下進來過一兩次。我穿著我的旅行外套，把它裹得更緊一些以便保暖。我一直是他人疾病之下的殉難烈士。

提隆在我前方，走向一棟開著燈的房子。他敲了門，一個穿著全套制服的管家開了門。

「是？」這名男子問道。

「我聽說過這間房子。」提隆告訴他。我想這行為很奇怪，而我準備好要為我同伴的粗魯道歉。

「你現在聽說了？你聽說了什麼？」

「喔，小子，你站到一邊去。」提隆命令他。我有幾分吃驚。我本來以為這是他某位朋友的房子。就連像他這樣的男人——儘管他定期出席聖餐儀式，我心裡還是認為他的道德感很可疑——都有朋友。

「除非你告訴我誰派你來的，我才會站到一邊去。」管家堅持。

「派我？你說派我？是這位紳士派我來的。」我花了點時間才領悟到他在幹什麼：他先前把手放進他的錢包裡，拿出一整個基尼。這樣的財富，有人就這樣放棄了！那時風很強，稍微模糊了提隆說出的話，不管確切的字句是什麼，那男人都往後站了，我們踏過了門檻。

裡面是何等讓人驚訝的景象。這裡看起來像是住了一位王子。周圍都是奢華的皮革扶手椅——遠比我圖書室裡的椅子好上許多——還有情人椅跟盆栽，而且有個朝上延伸的寬廣大理石台階。「喔，別光站在那裡張大嘴巴，像柯爾內河口那樣。」提隆對我說道，然後他笑出聲來。「進來吧。我們會嘗到喜悅。」

有酒可喝，我看得出這點，因為桌上有酒瓶跟玻璃杯，但他指涉到的其他東西是什麼，我看不出來。

他走向其中一張桌子，拿起一個看起來像是裝了雪莉酒的玻璃酒瓶。

「我會說，這瓶酒沒付貨物稅。」他吐出這句話。

「這方面我確定你說得對。」

某件事讓我抬起頭，朝樓梯上看：大理石上的腳步聲。三名年輕女子輕盈地走下來，由一位年紀較大的女士帶領。她們穿著在歌劇院或類似地方待上一晚的打扮，全都相當漂亮，也精心修飾過。詩人會説她們看起來像是鳥兒。

「晚安，紳士們。」年長的那個説道。她脖子上配戴著吸引人的寶石，她的連身裙在她走路時真的漂浮起來。

提隆坐在一張長椅上，對我比著手勢，要我照做。我覺得有些不確定，但照他對我的指示做了。「晚安，女士，」他説：「我想來點娯樂。」

「我們可以提供。」她注視著我跟我的神職人員裝束。她對此一點都不困擾。我想這甚至有可能逗樂了她。她朝著年輕些的小姐們揮著手。「伊莎貝拉、克萊莉絲跟艾蜜莉亞是這方面的新手，我知道她們會提供樂趣。」

「這方面的新手？」提隆脱口説道：「哈！這説法不錯。我上個月找了個黃頭髮的，她很適合這種用途。我想我要再找她一次。」他站起來，朝著後面的年輕小姐走去。

「那麼你呢，先生？」她稱呼我而沒叫我的聖職名稱，同時為我脱外套。

在我能開口以前，提隆替我説話了。「我取代他的位置。」他通知她。她望向我，她細緻的眉毛弓了起來。我沒有回答，她把這當成同意。

「如你們所願，先生們。伊莎貝拉，跟這些紳士們走。」

她開始上樓梯，提隆也跟上。「等一下，」他説：「我不喜歡伊莎貝拉這個名字。」

「你不喜歡，先生？」鴇母問道。

「對。我要把名字改掉。」

「你希望是什麼名字？」

提隆沒説話，而是看著我。

「佛羅倫斯。」我說。

「佛羅倫斯，先生？」女孩問道。她有個輕盈的聲音，來自我們國家的北部。

「是，」我說：「妳要成為佛羅倫斯。」

第十五章

西緬暫停閱讀，抬頭往上看。這多奇怪啊。佛羅倫斯似乎讀到了他的想法。

「一本藏起來的日記，一個藏起來的人。」她說。

「他確實如此。」他繼續讀。

一八七九年五月二十五日

教區事務再度把我帶到柯契斯特，我在泥水匠之臂吃飯。我抵達時提隆在那裡，是酒館裡的唯一一人。

「郝茲博士，」他喜孜孜地向我打招呼。說真的，他比平常更開心、更朝氣蓬勃。而我猜測這是為什麼。我們村裡的女孩之一，安妮．懷特，一位採蠔人的女兒，正在倒麥芽啤酒給他。如果你問我，我會說她相貌平平，但我確定她符合這一帶大多數男人要她配合的目的。

「我確定你認識安妮。」

「當然。妳好嗎，安妮？」

「我很好，牧師。謝謝你問。」

我常常覺得窮人逢迎巴結的本性——有形式而無實質——聽起來很刺耳。「那妳母親還好嗎？」

「她很好，先生。」

「喔，我要點些燉羊肉。」

「我剛才正在告訴小安妮，她在舞台上會表現得有多好。」提隆繼續說道。我確定她會。毫無疑問，每個蕩婦只要願意讓下流男子盯著看，都可以藉此維生。「你不想看到她登上柯契斯特的舞台嗎？皇家劇院。或者倫敦！」

這女孩凝視的目光變得相當呆滯無神。我可以看出她在夢想一種相當不同於硬灘的生活。

我露出寬容的微笑。「作為一個奉行聖經的人，這類事情超過我的理解範圍了，」我說道。而我為她降低了我的音量。「教會對於這樣的地方相當不贊同，把它們看成充斥著各種反宗教作為的危險場所。」她聽到這個就格格發笑。

提隆跟我占了一張桌子，談了些瑣碎的事：酒館裡的人，我在南海岸短暫渡個假的計畫。然後他把對話導向我們上次造訪過的房子。

「這就像在神自己的餐桌上吃晚餐，」他說。「沒有道德罪惡，我確定。」

「你確定嗎？」我說道，帶有幾分懷疑。

然而，雖然看來很奇怪，他以貨真價實的宗教論證回應，主張事情就是這樣。如同他所指出的，聖經特別強調說明希伯來的族長們如何享受跟許多女眷之間的關係。在我們的救主沒有更直接的勸戒時，這些族長不是被提出來當成我們的行為模範嗎？

「但是這樣的關係是在神聖化的婚姻裡發生的。」我爭辯道。

「喔，不過是誰受到神的委派，去執行這樣的神聖認可呢？是他的代表。」當然，他指的是我。「教士是證婚的凡人，不是嗎？什麼算是神聖的，就在他的禮贈範圍內。沒有任何事物阻止他把這樣的禮贈賦予其他教士——上主不就鼓勵此事嗎？——所以，沒有任何事情能阻止他賦予自己那種神聖性。」

我不喜歡被這種男人指導，他……事實上，在我考慮過以後，我領悟到我甚至不知道他受雇做什麼事，我想是商船水手之類的工作。不過他的論證背後是有神學效力的。

「說得很真確，然而一名神職人員也必須留意偉大的權威。」

「喔，不過這些權威自己是如何變成權威的？當然啦，靠的是考慮與測試。」他反駁道。

我也把這話仔細想過了。這裡也一樣，這說法有威力在。我們走出去談了更多。

「今晚附近惡棍很多。」他說道，同時轉頭察看他背後，凝視著一個個出入口。

「比平常更多？」

「當然。我今天晚上看到一個男人被痛打到差點沒命。」

「因為什麼罪名？」我問道，我很震驚。

「沒什麼。用不對的眼神看一個男人。我們活在一個犯罪時代。」

「那是可以肯定的。」我自己擔憂過，因為在報上頻繁讀到不必要殘暴行為的報導。

「是的。事實上，我正在思考，你應該帶著這個。」他說道。我俯視著他的手掌。躺在手掌上的是一把看起來很邪惡的匕首。我張口結舌。

「我怎麼會需要那個？」我質問道：「我不想讓人見血。」

「但你必須準備好制止其他想讓你見血的人。在這一帶他們這種人夠多，還有這麼做的需求跟時間。」

我怏怏不樂地嘆氣了。再一次，他說得有理。而自我保存不是罪惡——其實該這麼說，既然自殺是任性又不知感恩地拋下神賜給我們的生命不顧，在別人割我們的喉嚨時，捍衛自己是我們的良心責任。我不太情願地接下那把刀。那是個油亮光滑的東西，纖細修長，但有剃刀的刀鋒。我沒有問他先前拿它做什麼用，我只是把它放進我外套內側，放進一個對它妥貼合適的口袋裡。

一八七九年六月十四日

我在硬灘跟提隆見面。自上次見到他以後已經過了兩週以上，而我一直期待繼續我們的對話；在他的論證裡，當耶穌基督祂本人沒有直接勸戒時，應該把希伯來長老們當成我們對待女眷的模範，其中有些論點是我想要討論的。我們正朝我的房子走去，而且才剛從史楚道上下來。

「教區牧師！」我聽到有人在我們背後大喊。在我走近我家的時候，不太常會聽到有人在背後喊我的敬稱。而且喊叫的方式並不友善。「教區牧師！」那聲音重複著。

我瞥了提隆一眼。他眼神陰沉地跟我四目相望。

「把自己藏起來。」他說。

「我不會做這種事情。」

「好吧，你這該X的笨蛋，」他低吼道：「我會藏起來。」我繼續走我的路，沒有打斷自己的步伐，就好像我沒有聽到那個男人在喊我。提隆從道路上滑下小溪邊緣，落到爛泥灘上。在暮靄中，對於任何事先不知道他在那裡的人而言，他身上斑駁的黑色裝束讓他相當不顯眼。

就算是我，對於他的存在，我感覺到的比看到的多。

我的追逐者沉重的腳步聲來到聽力範圍內了。我沒去注意。無論他是誰，他都會來的——事實上，我對於他可能是誰頗有概念——而我會視需求應付他。我們神職人員被尊稱為「父親」（Father）是有理由的。如同任何好家長一樣，我們必須常常分送的告誡與指引一樣多。

等到我再也受不了他不均衡、有如野獸般的腳步聲時，我中止我的動作，等著他現身。

「教區牧師！」他厲聲說道。我上下打量著他。一頭藏在男人體內的小母牛：沉重笨拙。我對他打算說的話不怎麼關心，因此沒有費心引他開口。在他終於走到我這邊的時候，他氣喘吁吁，好像就要栽倒了。等他稍微恢復過來——在那段時間裡，我耐心地等著將要從他嘴裡吐出的任何胡言亂語——他就直起身體，瞪著我的臉。「我妹妹，」他咆哮道——我錯了，他不是小母牛，他是一條街頭獵犬。「你對我妹妹做的好事。」

「我沒對你妹妹做任何事。」我回答他。這是全然的真話。這男人的妹妹——現在他指的是誰很清楚了——身上發生的任何事，都是提隆做的，而且不是我指使的。我的良知是清白的。

「安妮……她本來要結婚了。」

「那就讓她結婚，」我說道。「我本人會很樂意主持儀式。」

「她現在不能了。她不乾淨！」

我開始厭倦這番對話了。「對你們大多數人來說，那幾乎不算是阻礙。她可能比這一帶一般的新娘『乾淨』五倍。現在，如果你願意見諒，我有一篇佈道文要寫。」

就在那時，他犯下大錯。在我重新走上通往屋子的路時，他抓住我的長外套，把我硬扯回去。他的蠻力讓我幾乎倒下。在這一帶，男人被培養成適合在土地上辛勤勞動與拉進漁獲，這點從他們的塊頭而非頭腦上得到證明。「你怎麼敢這樣攻擊教會！」我訓斥他。我的勇氣出乎他意料之外，他暫時停止攻擊我的身體。我可以看到他遲鈍的心靈回憶起多年來坐在教堂長椅上，我或者我的神職弟兄們則在神的視線之下，教導他分辨是非。

但接著他動物般扭曲的臉回來了。「不，教區牧師。你毀了她。」

這時他從他的無袖外套裡抽出了某樣東西。一張皺巴巴的紙，上面有油膩的指紋。那是從別的東西上扯下來的一條碎紙。我仔細觀察，上面有草草寫上的簡短信件，幾乎難以辨認。

「先生。我非常商心。我要你當我的愛人。我現在沒男人要了。我相要你做我大夫。安妮。」

我知道我應該覺得這封信很可憐，但我必須坦白招認，我就只是大笑出來。「想過鄉村生活，是嗎？以為你的蕩婦妹妹會是好牧師太太嗎？喔，親愛的鄉親啊，你的瘋話讓我這一天變得很愉快，但我恐怕不能奉陪了。」我企圖脫身離開，但他用雙臂環抱住我、困住我又擠壓著我，就好像他想直接把生命擠出去。我的雙手是自由的，卻幾乎無法對抗他的發達肌肉。

「不，教區牧師，不。」他再度像狗似地咆哮。「她現在喝了某樣東西。某種會讓她入睡的東西。她沒醒來。」

我感覺胸腔裡沒氣了，而每次吐氣他就抱得更緊，所以我的肺部再也吸不進空氣。我想他真的打算讓我窒息。在我努力尋求救援的時候，我凝視著他的眼睛，看到這樣強烈的憎恨，以至於我幾乎沒注意到他的軀幹開始貼著我鬆垂下來。在一瞬間，我們的狀況變了。他的身體癱軟在我身上的同時，我的身體突然就把他抱直了。某種溫暖的東西在我雙手上蔓延開來。我往下凝視，看到那東西是血，從他背上的一連串傷口裡泉湧而出，每一個都是提隆手裡的修長刀刃戳出來的。在我的注視之下，懷特搖搖晃晃地走開，而提隆像憤怒女神似的，從他背後跳上去，伸手繞過懷特的脖子，兩度把短劍深深戳進他的背部。我那攻擊者的身體委頓在地。

我文風不動地站著，大為驚異。但我瞬間恢復冷靜。感謝善良的上主確保視線範圍內空無一人。

「我早叫你要帶刀，」提隆說道：「現在你知道你為何需要它了。」他把口水吐在那男人腳上。讓我震驚的是，我領悟到懷特還在動，他的呼吸吃力而格格作響。「別嚇著。我會處理他。」提隆嘟囔道。我後退一步，讓他做他的事。在我的注視之下，這個男人的生命變得更稀薄了。生命離開了他。

「什麼都別說，」提隆早一步制止我。「這是我的工作，而且會一直是我的工作。站到一邊去。」他彎下腰，提起攻擊者毫無生氣的屍體，拖著它的腿，把它拖進泥濘的溪水裡。我注意到我身上有相當程度的血，我必須洗掉。但幾乎不可能把我的衣服拿給我的管家。我注視著提隆把屍體拉得更遠，越過泥巴，進入像流沙的部分，任何東西在那裡都會下沉到完全看不見。提隆的外套把他們兩個都遮住了，我想像我看到約翰的手往下滑進泥土裡。那就是任何人最後一次見到他了。

提隆回到我這裡，然後笑了。「之後你會需要這個，」他說道。他把那女孩寫的那封信——如果你可以說那是封信——拍到我胸口。「我會處理這個男人的船。保證看起來像是他翻船了。」

「務必小心。」我說道。他把那封信推到我胸前的地方，正好是我的攻擊者血液浸溼我襯衫的那一點，而它現在滲進信件邊緣了。我把液體擦掉。我有種預感，他的意思是要我利用那封信，他對我概述他的計畫時，證明我想對了。我必須承認，那是個精巧的計畫。而且我不會有任何時候要罪惡地做出假見證，我確定了這一點。

是的，因為提隆，我感謝吾主，在我需要的時候把他派來。真的，偉大牧羊人的力量與慈善，是某種必須注意的事情。

在提隆了事以後，我原路折返，走向莫西島的村莊還有那女孩的家，去看看她在她哥哥口中的身心狀態。我扣起我的大衣，它相當有效地藏起了血漬。

在抵達那棟迷人的小屋時，我被一個瞎眼的老女人領進去——在她的階級，他們似乎都有同樣的母親——領向她女兒躺著的床鋪。我不是醫師，不過在我看來，安妮正朝著她哥哥已經抵達的相同場所前進。我把我的手放在她前額上。那裡潮溼且相當冰冷。我看到她胸脯上的小花蕾，在一件薄薄的襯裙底下喘息起伏。這個世界失去這樣一個孩子，一個有這麼多可以奉獻的孩子，真是太可惜了，不過這就是偉大的神的計畫。

我祝福她，然後離開。接下來她在神的手中了。她是否會跟我們之上的祂會合，或者承受陰間的折磨，這會是只屬於祂的選擇與決定。但我很高興我去拜訪了，因為這表示我朋友的其他計畫，全都會變得更能夠預測。

通常有一兩個遊手好閒之人坐在硬灘旁邊，希望能打一天零工。他們是從哪遊蕩過來的，我毫無概念，不過他們似乎會突然冒出來，閒坐個幾天，然後再度消失。今天我用得著他們其中一個。

我把我的牧師領放在我的口袋裡，招手要一個人過來。他匆匆走向我，賺個幾先令的前景毫無疑問點燃了他的熱忱。「立刻把這封信送到雷島上的房子去，把它交給管家。」我說道。

我把安妮揉皺了的字條跟一小筆錢交給他，讓他去佩登玫瑰花掉。我指引他走上史楚道，他以相當快的速度離開了。我接著讓自己安頓下來，在海岸線上等了一小時，然後才回家。我感覺聖靈讓我充滿了歡欣之情。

一小時後，我一踏進走廊，我就聽到他們像報喪女妖似地尖聲叫嚷。

「她是誰啊，你真該X？」那是佛羅倫斯的聲音。她這樣叫喊到讓房子都為之動搖，是很少見的——雖然不是聞所未聞。

「妳徹底失心瘋了嗎？」詹姆斯喊回去。

提隆真的很懂怎麼玩他那一手，我心想。

「要是我瘋了，就是在我同意結這個婚的時候瘋的！」

我讓自己溜進書房裡，換掉我的襯衫，同時他們用同樣激烈的方式繼續吵。

我花了不超過五分鐘閱讀一份談南印度傳教的專論，這時我弟弟衝進來了。他緊抓著一條手帕搗著他的臉頰，顯然那條手帕被浸紅了。這提醒我要在泰伯斯太太洗我的襯衫以前處置它。「可惡，奧立佛，我根本不知道她在講什麼。」他說著猛然坐進一張椅子裡。

「你想解釋一下嗎？」

他發出呻吟。「她一直在質問我，據說有個女孩被我染指了。」

「你有染指她嗎？」

「我幾乎不認識那女孩。約翰．懷特的妹妹。佛羅聲稱收到某張天X的字條，聲稱我利用了這個女孩，答應娶她，然後把她當成一雙舊鞋一樣丟到一旁。完全瘋了。」他用腳踹了一張邊桌。「從沒喜歡過那張桌子。拿來當柴燒會比較好。」他說道。

「發生什麼事？」

「佛羅對我扔了一只玻璃瓶。琴酒灑得整個地板都是。我上個月從法蘭德斯帶回來的好東西。可惜得要命。」

「那你的臉頰？」

「喔，劃破了，不是嗎？就直接打中我的臉。喔，我會活下來的。」

他拿開手帕，某些血已經乾了，黏在皮膚上。有時候保持在道德界線正確的那一邊是艱難的任務。不過在檢視我的良心以後，我知道我是在潔白的那一邊。我沒有說假話。

一八七九年六月十五日

比較平靜的一日。我把中午前的時間花在帳目上。我已經要求主教轄區給我更多經費雇用一名教堂司事，卻收到否定的回覆。看來我們必須延遲修繕教堂屋頂了。詹姆斯抱怨割傷的皮肉有灼燒感。

一八七九年六月十六日

我照看了詹姆斯一會。他很痛，而且為此感到憤怒，這樣對他沒有好處。他拒絕吃晚餐。我讀完一篇談殖民地普世教會合一主義的短論，是聖公會交流通訊學會寄給我的，它相當有教育意義。

一八七九年六月十七日

今天非常熱。詹姆斯變得病懨懨。他被佛羅倫斯攻擊的傷處，皮肉變成了黃色。唔，他現在處於吾主手中，我們必須服從祂的意志。他在胡言亂語。我重複我要雇用一位教堂司事的要求，為其必要性闡述了更多理由。

一八七九年六月十八日

一個補鍋匠被逮到在玫瑰酒館偷東西。他會被送到巡迴審判庭等下一次的每季審判。詹姆斯惡化了，他的狀況看起來很嚴峻。

一八七九年六月十九日

在喜悦中沒有邪惡。在不請自來的好處裡沒有道德罪惡。我不是該隱，我沒有殺死兄弟。然而他已經被殺了。他還在呼吸，但不會長久，我很確定。而犯人呢？是他妻子。他從佛羅倫斯手上得到的傷口現在是綠色的，還滴出一種惡臭的液體。傷口周圍的肉發黑了，而且被侵蝕掉了。你可以透過破洞看到他的牙齒跟骨頭。我們找來的醫師，一個比村莊草藥師傅好一點點的酗酒本地人，他茫然無措，只能指示祈禱並盼望。我確實是一直在祈禱。詹姆斯一會流汗一會發抖，他的嘴唇乾裂了。他不時吶喊著，但值得感謝的是，他的話沒有意義。

在我走向他的時候，我緊握著他的手，他把視線轉向我。「奧立佛，」他喃喃說道：「請仁慈對待她。」

「我會的。」我說道。

我很確定，明天或者後天，我就會把我弟弟放進家族墓穴裡，把他託付到神的手中。

村裡傳來消息。安妮・懷特復原了。她一能夠走路，她就離開她母親家，只說她要去倫敦，有辦法的時候就會寄信回來。神制止她開口編故事。感謝祂。

第十六章

西緬翻頁，沒再發現更多內容。這本書的頁面從這裡開始都是空白的。然而，當他看得更仔細的時候，他就看到一連串小小的紙張殘片還附著在書脊上。

「佛羅倫斯，其他頁面在哪裡？」他問道。她抬起玻璃模型。模型下面是一小堆書頁。就像日記本身，她讓這些頁面在他眼皮下擺了好幾天。他必須讚美她：她的把戲玩得很好。「妳會把那些頁面給我嗎？」

「可能會。」

她的意圖很清楚。「不過妳想要某種回報。」

「西緬，你真是觀察入微！真是有騎士風度的心理學家。」

「那要是我沒滿足妳的欲望，會發生什麼事？妳會用油燈燒了它們嗎？」

「我想很有可能。」

「所以代價是什麼？」

「代價是我掛在大廳火爐上的肖像。」

他很驚訝。「妳要一幅畫？」這是個奇特的要求——不過是很便宜的要求。

「我確實要。」

火爐上的小肖像，在幾年前畫的，是佛羅倫斯置身於吸飽了美國陽光的想像風景中，很容易就從牆上拿下來了。拿著一桶煤炭穿過大廳的肯恩瞪著他，西緬假裝沒注意到，把那張畫拿回圖書室。

「啊，」她看到他回來的時候嘆息了。「你說話算話。」

他把肖像推過艙口。她凝視著更年輕的自己，接著伸手到她的邊桌上，用手拿起一個小瓶子，把它砸向桌子，讓它碎成了十幾片。她從地板上拾起比較大的碎片，西緬害怕她就要把這當成傷害自己的武器了，但她反而把碎片刺進畫作邊緣與畫框交會處，割下了畫布。

「妳在做什麼？」他問道。

「你會知道的。」

在畫作後面，他看到她真正的目標：一疊信件。

「那是什麼？」

在他看到它們的時候，他看到她眼中含淚。「這些？這些是詹姆斯寫給我的短箋。在我們還年輕的時候。我把那些信放在這裡，這樣……」

「……妳就總是會知道它們在哪裡。」他把她的想法說完。

這麼說讓他感覺自己像個偷窺狂。他離開了房間，讓她去讀她的舊情書。他無法釋放她，但他可以給她時間，讓她跟她的過往、她的思緒還有對她丈夫的愛相處。

一小時後，他回到原地。她站在她那邊的半個房間，靠在一個書架上，盯著她碰不到的那排窗戶。

「謝謝你。」她說。他點點頭，接受這份感激。她沒看著他，就把日記的剩餘頁面推過艙口，而他回去讀奧立佛．郝茲不為人知的歷史。

一八七九年六月二十日

我今天真的埋葬了詹姆斯。我們有個悲傷的送葬行列——我自己是悲傷的，悲傷事情竟會發展至此。但我們是上主的工具，絕對不能質疑。

我們這群黑衣人站在後客廳裡，他被擺放在這，而我記起我讀過的那份專題論文，講到我們這一帶鄉間的食罪人；那些可憐人收錢吃掉擺在死者身上的糕餅，以便把新逝之人的所有罪惡背負到自己身上。在神與大誘惑者眼中，那些黑色印記從死者的紀錄上轉移到活人的紀錄中，而他必須在審判日為此負責，同時那名死者可以不受阻礙地進入天堂。當然，這是屬於無神論者的職業。在他們的棺材被破開，靈魂在最後的判官面前被召喚的時候，他們會得到一次可怕的震撼。

我想，我好好地履行了我的神職義務，對包括佛羅倫斯在內的所有人，講出帶來深刻安慰的話語。要是一切完全取決於我，我會給她一些時間哀悼。不過提隆正確地指出，葬禮剛舉行完的時間，會是我們採取行動最有效的時候。

為了這個目的，幾小時後我在我的圖書室裡用煤氣燈讀書。佛羅倫斯去散步好理清她的思緒。提隆在角落裡，用一種讓人不悅的方式修剪他的指甲。

就算在這些浸在水裡的區域，我也鮮少看到這樣的雨。再嚴重一點，挪亞本人就要畏怯不前了！提隆不是房間裡唯一的他人。我先前邀請瓦金斯來用餐，而他在牆角睡著，打鼾打得像隻非洲野獸。我讓他灌飽了葡萄酒，並且建議他在回自己家以前在這裡打個盹。僕人們被打發回家過夜了。

「骯髒的夜晚，」提隆吐出這句話。「你認為她會應付得怎麼樣？」

「不會很好，」我從《摩西五書》的一卷註釋中抬頭，這麼回答。「我確定她處於脆弱的狀態。」

「你天X的可以確定這一點。」

「我衷心希望你在這棟房子裡的時候，調整一下你那種酒吧用的語言，」我警告他。「那種語言有派得上用場的時機與場合，但現在都不是。」

「抱歉，」他不滿地咕噥，然後回去修剪他的指甲。「到現在過了多久了？」一會以後他問道。

我察看角落裡的時鐘。「幾乎一小時了。她不可能再撐太久。寒意肯定會滲進她骨頭裡。」我闔上書本，拿下我的眼鏡，這樣我才能更專心。她哭嚎的聲音再度揚起。那聲音曾經很憤怒，然後變得哀怨，現在則在表面上很有威脅性。

「打開門，否則我剝了你們的皮，你們這些婊子養的！」她從下面發出尖叫。卵石敲在窗玻璃上格格作響，但她找不到任何更有分量的東西來扔，沒有任何能打破玻璃的東西。而在聖經級洪流的聲音中，我幾乎聽不見。

「她不是什麼纖細淑女，是吧？」提隆這麼評論。「聽起來就像倫敦那些三先令妓女裡的一個。她們之中某些人，喔，我可以告訴你精彩的故事！有個女孩潔西，怎麼來她都喜歡。聽著，她有一次——」

我把我的書摔到桌子上，相當憤怒。「我跟你說過要調整那些骯髒的故事。如果你要一直那樣講話，你可以離開這棟房子！」

「喔，閉嘴，」他咕噥道。「你需要我就像你需要食物。」

「我不需要！」

我不喜歡他最近對待我的那種輕慢態度。我開始懷疑，等我處理過佛羅倫斯以後，我會有必要處理提隆。下人自以為是主子，是很危險的狀況。

「你到底見了什麼鬼，還替那個鷹身女妖著想，我永遠不會知道。」提隆嘀咕著。

「我想拯救她，免得她變得更糟，」我告訴他。「宗教法庭對你來說是一種詛咒，不是嗎？」

「喔，宗教法庭。那是你想從她身上得到的。哈！」他拋給我一個下流的眼神。「我會離開的。我不在乎你跟她到底想幹嘛。就像水手們對待潔西那樣對待她啊，我才不管呢。」他氣沖沖地頓足走出房間。瓦金斯似乎在他離開時動彈了一下下，卻沒有醒來。

接著，隨著一聲極大的碎裂聲，窗户往內爆開了！一顆石頭直接從窗户飛進來，越過房間，掉進火爐裡。瓦金斯喊了一聲醒過來，分量不少的玻璃灑了他一身。我很遺憾，因為它讓爐柵周圍的磚塊出現相當大的裂痕。這是非常令人不快的事件。

我們之間少了窗户，她的聲音似乎抓住了這個房間，還搖晃著它。「開門啊，你們這些混蛋。開門，要不然我就把它打壞！」

隨著這句話而來的，是穿過破裂窗户的新一波卵石雨。有些打到了瓦金斯，讓他嚇得魂不附體。「發生了什麼事？」他大喊。

我裝出跟他一樣震驚的樣子。「我……我猜那是你女兒的聲音。」我告訴他。

「佛羅倫斯？老天爺啊，我想就是！」

我們小心翼翼地走向破損的鉸鏈窗。雨正在抽打進來，窗簾波浪似地往裡飄動。我再度想起挪亞，在大洪水的風暴中，在海上被拋擲著，為他的種族生存而祈禱。

「你們這些動物，開門啊。我會扭斷你們的脖子！惡魔幫我，我會扭斷你們的脖子！」

「看在神的份上，她到底哪裡不對了？」他恐懼地問道。我們透過破窗往外窺視。她在下面全身溼透，像是穿著一身衣服跌進冒著泡沫的海裡。而她帶著一個惡鬼身上的所有恨意回瞪著我們。

「我看到你們了！」她對著上方尖叫。「我會親手做掉你們兩個！開門！」那雙手在她的頭部上方，往上延伸，就像要實踐她勒死我們的承諾。然後，令人難以置信的是，它們停止抓著空虛的空氣，反而開始抓著房子的石頭。她嘗試要爬上這些牆壁，要像猴子似地從窗户闖進來。然而，她只能在某些藤蔓的輔助下手忙腳亂地往上爬幾步，就往下跌進溼透的土壤裡。

瓦金斯跟我往後縮。她像是提隆的水手故事裡其中一種半人生物。

「我從來沒見過她這個樣子！」瓦金斯就只喊得出這種話。他的話語糊成一團。仍然讓他頭腦混亂的酒精，加強了他對自家女兒現狀的恐懼。

「我真希望我能這麼說。」我低聲回答。

「你的意思是，這種事以前發生過？她過去曾經像這個樣子？」我沒有口頭回答，只是深深嘆息，讓我們受人敬重的地方治安官做出他自己的結論。他看起來非常困擾。「我以為跟你弟弟有關的事件是唯一的一次。」

「如果是就好了，」我用悶悶不樂的語調說道。提隆指導過我。「我會下樓去讓她進來。」

「這樣安全嗎？」他滿懷恐懼地說道，然後他看出一個男人害怕自己的女兒有多荒謬。

「我的意思是，你當然必須這樣做。我會確保讓她自己冷靜下來。」

我下樓到前門口。風找到門路穿過磚塊，而這聽起來好像這棟房子本身在苦難中嚎叫。她在敲門，力道重得足以直接打出一條進來的路。那是厚橡木，然而她攻擊的狂熱程度好像很快會粉碎它，我這麼想。我無法理解她怎麼能夠赤手空拳用這麼大力氣拍打。我沒有很長的時間可以等，因為門已經在我眼前開始破裂了。長長的裂口出現，驚異之情讓我走到一半停下腳步。她使用的工具直接爆開穿過：肯定是她為了這項任務，從花園裡拖出來的巨大燧石。在她手中，它變成一柄短斧。有那麼一秒我思量著，我是否真的有生命危險——如果她的心智像門一樣破碎，那麼詹姆斯可能不會是我們家最後一個死在她手上的人。

但我看到提隆站在廚房門口，他的一個憤怒眼神就足夠給我一陣爆發的勇氣。我移動得更快些，為她打開這棟房子的門。

我在門鎖裡轉動鑰匙的那一刻，風替我扭開了門，把它摔到牆上，讓我得以第一次瞥見改變了的佛羅倫斯。

她看起來多麼驚人！喔，我可以說這沒有影響我，但真相是這讓我大大動搖。她的衣服緊貼著她，她的粉色肌膚透過白色亞麻布，看來紅如玫瑰，就好像它正對著空氣與我的雙眼敞開。這樣憔悴的、屬於森林的美，絕對不該被隱藏。

「天主在上，妳這可憐的孩子！」我喊道：「妳沒有拿彈簧鎖鑰匙嗎？」

「我為什麼會拿彈簧鎖鑰匙？」她質問。她把燧石扔到一旁。紅色的血滴跟著它一起飛去——在她反覆拍門的時候，她的手掌被割傷了。她匆匆擠進門廳，把我推到一旁。

「僕人已經被打發回家了。」我解釋。

「你聽到我大喊了。我在外面已經一小時了。」

「暴雨非常大聲。」

「暴雨？去他的暴雨。」她把她的外衣扔到一旁，脫到剩下她的內衣。「盯著看，不盯著看。我不在乎你怎麼做！」她這麼宣稱。她甚至開始扯掉讓她那點貧乏的蔽體之物保持在定位的帶子。

「佛羅倫斯！」那是從我們上方傳來的叫喊。在樓梯頂端，她父親親眼見到她企圖把她的整個女性身體展露給我看，她的大伯，她的神學導師。「住手！把妳的衣服穿回去！妳腦袋裡到底跑進什麼東西？」

「喔，老天爺啊。父親，」她惱怒地嘟囔。「從暴雨到狂風。這是我的房子，父親，如果我想，我就會像夏娃一樣赤裸。你曾經在某個時刻見過我那個樣子，不是嗎？」在他企圖下樓梯的時候，他似乎氣急敗壞又腳步踉蹌。「雖然有時候我很納悶，我怎麼會被孕育出來。母親當初肯定像你現在一樣爛醉。」

「妳竟敢這麼說！」他喊道。而他錯失了另一個台階，抓住欄杆才保住一命。「遮好妳自己。詹姆斯的死讓我們所有人都傷心，但是——」

「這讓你傷心的程度，及不上我傷心程度的百分之一，」她咬著牙擠出這句話。「你——怎樣？認識他？曾經跟他一起待在酒館裡，讓他買酒並講故事娛樂你？這怎麼比得上他對我的意義？你可以把這件事拋諸腦後，找另一個男人付啤酒錢，聊他以前認識的女人。我沒辦法。所以別告訴我要怎麼哀悼我丈夫的死，或者我必須怎麼在自家的四面牆壁裡循規蹈舉。」

然後她往上奔進她房間。一個骯髒的晚上，但有個令人愉快的結尾。

一八七九年六月二十一日

今天早晨有一件令人震驚之事——願上主將來少給我一點這種事——提隆衝進我房間裡，把我從淺眠狀態中搖醒，通知我佛羅倫斯已經搭早晨的火車去了倫敦。我逐漸擔憂起來，這個暴發户對於自己的社交地位，開始發展出僭越的想法了。我這個凱薩，絕對不能讓他扮演卡西烏斯[40]。

「你認為她會去哪裡？」他凶惡地吼道。

我思索了一秒。「我推測是去找安妮．懷特，」我回答道。「而我同意，這是最令人不快的事。」

「那我們要怎麼辦？」

「我們會跟著她去倫敦——不是要搶先她一步，而是要比她更早找到獵物。我們會找到安妮，確保不會有任何造成不便的話從她嘴裡冒出來。」我解釋道。而我覺得他對我的解決方案很佩服。

我做好安排，很快我們就在等待下午從柯契斯特到倫敦的火車了。

「午安。」我們站在月台上的時候，我向站長打招呼。他原本是莫西出身，我對他稍有認識。

---

40 在莎劇《凱薩大帝》（*Julius Caesar*）中，羅馬元老院議員卡西烏斯（Cassius）被描述成狡詐小人，設計誘使天性高貴的布魯特斯（Brutus）加入刺殺凱薩的陰謀。

「午安，教區牧師。」

「我要跟在我弟妹後面去倫敦。她本來應該要告訴我她在那邊的哪個地方過夜。」

「忘記講了，是嗎？」他格格笑著說道。

「她是忘了。」

「女人啊，教區牧師。連自己的名字都會忘記。」

「確實是。所以，她有剛好向你提到這點嗎？或者任何其他能幫助我跟她在那裡會合的事？」

「沒有，先生，沒有。」他搖搖頭，而我把腳踩在登上火車的踏腳板上了。「喔，不過等一下！有一件事。你知道，在她問起我們會進入哪個倫敦車站的時候，我告訴她是到利物浦街車站。」我假定他會有更多故事可說，但在那一刻，他似乎發現拿他那惡臭的菸斗去敲他的腳跟，以便弄鬆抽過的菸草，有至高無上的重要性。

「所以呢？」我催促他。

「所以她向我問起，」他的心思還在菸斗上：「那裡距離柯芬園有多遠。」這讓我很高興。或許還有更多訊息？有的。「『要去看潘趣與茱蒂傀儡戲嗎？』我這麼問她。『不，』她說：『要去那裡找人。』所以我告訴她，搭出租馬車要二十分鐘。」

去那裡找人。我為上主的保佑而感謝祂。

然而我的天啊！我們這趟旅程真不得了。雖然我通常很享受在國家首都逗留的時光，但搖搖晃晃的旅程卻會在我身體上留下強烈的印記，甚至讓我發誓說絕不再回去。這次也沒有比較好。

終於抵達了。清晨我們在利物浦街車站停下的時候，我走向車站郵局。我有個策略要執行。我在裡面找了位骯髒的小男人，留給他一些指示跟一張一英鎊鈔票。

之後我們去了柯芬園市場。我們很小心避免在見到佛羅倫斯以前就先被她看到，所以我換成俗人服裝，戴著一頂低帽沿的帽子。提隆用一條黑色手帕包住他的臉孔下半部。這讓他有了偽裝，讓他在那個賊窩裡幾乎不會比別人更醒目。然而如果倫敦有件事情是讓我討厭的，那就是煙霧。煙霧籠罩在整個城市上，只稍微被頭上的燈給刺透。

所以佛羅倫斯在柯芬園尋找安妮。像安妮這樣的人為什麼會被吸引到那個地方，是很明顯的——從那裡到維也納，它的夜行女子都蔚為傳奇。她們幾乎不會只在夜裡做她們的娼妓行當。「過來這裡，先生！」「我會讓你開心！」這麼廉價的罪惡。在提隆與我走過的時候，我們從來自所有年齡層的化妝女性那裡聽到一百個呼喊與邀請——在我靠近到可以看清楚她們的時候，我會猜想其中一些人年輕到只有十二歲，老的則有五十歲了。

「晚點再說，女士們！」提隆喊回去。「做好準備，因為我有很多東西要送到妳們那邊。」他得到的回報是野貓合唱隊的尖銳笑聲。他很有準備要墮落到她們那種樂趣的程度，不過我們首先迅速掃蕩一遍市場跟周圍的巷弄。安妮或佛羅倫斯都不見人影。這樣算是期望過高了。我們那天大半時間都在步行，不引人注目地探問。但沒有任何發現，我們到附近的旅館休息。

一八七九年六月二十二日

我們重新開始我們的搜尋，再度花了好幾小時奔走，然後某件事情發生了。

「你們是在找一個女人嗎？」這次不是女性的聲音，那是一道門裡傳出的耳語。在微光下走近時，我看到一名瘦削的男人，他臉上的天花痘疤是我有史以來見過最多的——以他皮肉上一連串的坑洞與發疹痕跡來看，他還活著就是奇蹟，而我確保了不要走進呼吸距離之內，免得我染上他有的疾病。

「我不是。」我說道，保持在後方，等著看他如何回應。

他那張畫上了邪惡的臉龐，隨著那句話分裂成兩半，他的聲音改變了，不知怎麼地變得好像認識我。「我知道。你在尋找兩個女人。從偏遠地方來的。」而瞬息之間，他就消失到門口的陰影裡了。

我遲疑了，相當不確定是否要跟隨這個男人進入他的巢穴。「跟上啊。」提隆堅持。

「我們對他一無所知。」我回應。

提隆對我冷笑。「怎麼，你仍然是個懦夫嗎？」

「安靜！」我對他厲聲說道。

「不必勞駕。我會去的，」他說：「你在這裡等。」

他的手伸到他無袖外套底下的鼓起處，我知道那是曾經了結安妮她哥哥的刀子。我知道他心癢癢的，想把它也用在妹妹身上。

在這個場合，我認為對他的建議讓步是明智之舉。我去了街道的另一邊。「那麼你上來吧，先生。」在我撤退的時候，我聽到老鴇這樣對我朋友說。

我繼續待在窄巷裡，這裡的寬度只足夠把一輛水果貨車或花車推過去。它的鋪路石潮溼而有水氣，毫無疑問是用泰晤士河河水沖洗過，以便盡可能多洗淨一些白天的骯髒。我抬頭看著房子的上層。一扇有百葉窗的窗户，顯示出後面有蠟燭被點亮的證據。那可能會是他的目的地。

街道盡頭有另一個女孩，站在一盞燈下。「只要三先令，先生！」她喊過來。「躺下來做。站著兩先令。」

「安靜，娼妓。」我命令她。

我等待著，身體開始發冷，頂多才兩分鐘提隆就飛快地出來了。「我們必須離開！」他咆哮道，抓著我的外套，扯著我進入巷子。

「發生什麼事？」我質問。

「沒時間。」我盯著他看。燈光在他眼睛裡，就好像那雙眼睛後面有火。我甩開他，然後匆匆朝著門口走去。我不會讓任何人告訴我，我能或者不能做什麼。

我迅速上樓進入樓上唯一的房間。我本來期待是一間粗糙的臥房，一個給老鴇跟他庫存的胸脯工作的地方，但我發現別的東西。我發現一間藏屍所。

床上是兩頭街頭母鵝，她們的喉嚨被劃開了。她們穿著她們那一行的衣服：搭配得很放蕩，盡可能露出最多的皮膚。她們被隨便披掛著橫放在帆布床上，她們的血不止是噴濺在地板上，也噴濺在牆上。而沒一個跟安妮或佛羅倫斯有任何一丁點相似性。

不過有人還活著。「我的天，我的天……」我聽到有人在呻吟。那皮條客癱著，靠在一張凳子上。他對我伸出一隻手，同時另一隻手似乎抱著他的內臟，它們正從他的軀幹裡流出。

「拜託……」這個字眼變成像蛇似的嘶嘶聲，毫無疑問很適當，因為惡魔本人當然現身在那房間裡。

「我告訴過你，我們必須離開。」

我認得的聲音。提隆跟著我進來，現在站在我背後。

「看在天堂的名義上，你中了什麼邪？」我質問道。

「壓低你的聲音。」這是個極端嚴肅的命令。「這些事情由我負責。」

「我……水。外科醫生。」那龜公還活著，正在呻吟。提隆凝視的目光與我相對。我轉過身去，他走向地板上的那個男人。我沒聽到那人再說任何話。

「這些事情由我負責。」提隆重複道。而那裡有非常輕微的窸窣聲，就好像他在布料上把金屬抹乾淨。

我再度俯瞰這幕場景。這是某種會登上廉價驚悚小說的場景。就像某種出現在舊約裡的大屠殺。不過當然了，這很合理。神的手在那房間裡，就像那隻手也在舊以色列。

但提隆還是激怒了我。

「從現在開始，你不能再做像這樣的事情！」我宣布。「你踰越正派體面的界線了。」

「這正是為什麼你需要我！」他反駁時的怒火，跟我先前展現的不分軒輊。

「你什麼意思？」

「我什麼意思？」他用嘲弄的模仿語調回應。「我的意思是你所知道的：我是你的食罪人。」

我停頓下來，這個斷言讓我驚愕。「你怎麼會知道那個詞彙？」我質問道。

「怎麼知道？在我長大的地方，每個人都知道。」

「喔，可以肯定這是罪惡的，」我一邊說，一邊對著這血腥場面揮舞我的手，此刻我對神學討論不感興趣。

「他們一天犯罪四十次。」他全然不當一回事地說道，就好像他一點都不在乎這些性命。他用自己的腳，踢了踢其中一個妓女的腳。那隻腳晃了一下，懸掛在床的邊緣。「罪惡總是會出現。我下定決心這麼做了。」

「唔，我並不。」

他聞言露出恐怖的獰笑。「那麼也許你應該下定決心。」在那些話裡，我發現某種相當令人心寒的東西。「現在過來吧，」他指示我，抓著我的外套，這次不容拒絕。在門口，他往外張望著街道，在陰影中抓著那把邪惡的刀。「這裡沒人。」他說著，招手要我跟他走。而在我們踏出去的時候，他把刀子塞回他那件外套底下的一個皮革刀鞘裡。我們迅速地沿著巷子大步前進。

「現在要我嗎，先生？」是那個先前引誘我的賤貨。「你看起來準備好了。」

然而回答的不是我，而是提隆。「我準備好了，」他這麼說，讓我吃了一驚。「相當有準備。」他朝著她走去。

「你瘋了嗎？」我悄聲質疑，同時抓住了他。

「不，只是飢餓，」他輕笑著回答。他把我甩開，走向那個女孩——那門行業中的一個例子，比起肚破腸流、躺在我們頭上那個房間裡的人更年輕些——而且沒有任何開場白，就抓著她的肩膀，把她轉過來，讓她彎下腰，直接上了她，像是花園裡的一條狗。我看向別處，對於參與這件事，還有這個時機的魯莽感到怒不可遏。

「這是給妳的六先令，」我聽到他這麼說。「賞樓上那些女孩子們一杯酒喝。來自黑醫師的好意。」他轉頭對著我，露出陰險的笑容。

「多謝您跟醫生，先生。」她這麼回答，她的語調相當快樂。

我感覺到他的手在我背上，告訴我他準備離開了，而我大步走開，思索著再過多久我就會拋下我這位昔日友人，讓他去面對等待他的任何命運：毫無疑問，是絞刑吏的絞索。

我們回去我在利物浦街車站附近預定的下榻處時，我很小心——比他更小心——只被極少數人看見。提隆似乎對他最近的行為喜不自勝，想要被人看見。「咱們去聖詹姆斯公園吧。那裡有更多野鵝，」他告訴我。「她們在樹籬之間跑來跑去，成熟到可以摘下來了。」他要是沒把手放在他遮掩著的刀柄上，我可能會給他比語言更強烈的警告；但在當時的狀況下，我用五種不同字眼叫他傻瓜，幾乎拖著他跟我回到我們的旅館去。不過，我設法確定我們走了迂迴路線，降低被追蹤到那個住處、甚至可能被當局辨識出身分的機率。就算絞索就要纏到提隆的脖子上，他還是什麼都不在乎，不過在我心裡，這種前景明顯地令人不快。

我們抵達旅館時，店主供應晚餐給我們。當他一提到提供的是捆起來料理的鵝，提隆就爆出大笑，我必須迅速地踹他一腳加以制止。

一八七九年六月二十四日

在很長一段時間裡，提隆跟我搜尋著我們的獵物。我們試過包膳民宿、妓院跟基督教傳教所。一無所獲。我得到的就只有加深的憤怒。他準備好要撕碎更多妓女，相信她們其中一人窩藏了佛羅倫斯，但我控制住他。日漸增加的注意對我們不會有好處。而我們終究時來運轉。

在第三天早上，提隆來到我這邊。他整晚上都在外面——我不想知道去了哪裡——榨出了某些資訊。他叫我在旅館等候，那天晚上他就會把佛羅倫斯跟那個村姑帶來給我。我感謝神。

我照他的期望做，有耐性地等候，但跟帶回兩名逃犯相去甚遠，他在午夜時分回來的時候，肩膀上有個很深的傷口。我從他口中問出，儘管他這麼自信，他的冒險遠遠談不上成功。從那時起，我就知道我不應該相信他說出的任何一字或者承諾。我那天晚上憤怒地上床，幾乎沒有睡。

但再度感謝那唯一的神聖者！

我在早晨或許八點的時候，被利物浦街車站那位骯髒的小郵差叫醒。在我放他進我們房間的時候，他手裡拿著一封信。

「先生，我們談過的那件事，」他說著把信舉起。「今天早上，這個被託付給早班的柯契斯特火車。這是你叫我注意的地址。」

這封信確實是寄給我們可敬的治安官，瓦金斯。當然，我認得他女兒的筆跡。

「你做得非常好。」我說道。

「你知道，先生，」他用一種純真無邪的聲調說：「從女王的郵件服務中拿走信件是不合法的。」

我嘆息了。「另一位紳士會付錢給你。」

「另一位紳士？」那白痴覆述了一遍，在他周圍到處張望。

我沒心情應付這種蠢事，從我的枕頭下面抽出我的錢包，給出六先令。我短暫地想到，這是前幾天晚上提隆給那個阻街女的總數。

「你可以離開我們了。」我說道。

「是的，聖父[41]。」他似乎不知怎麼地被簡單的話語給搞迷糊了。我不喜歡我不認識的粗人稱呼我「聖父」。這有幾分像是我對他們有性靈上的義務，甚至是牧師職務上的義務，但我其實兩者皆無。

我打開郵包。

「佛羅倫斯？」提隆問道。

「肯定是。」

我徹底讀過一遍。信中描述過去三天發生在她身上的事。讀起來很有娛樂性。而這封信裡有某種更重要得多的東西：它是用旅館的信紙寫的。

就這樣，我不費吹灰之力就有了她的地址：主教門，皇冠旅館。

41 這位郵局職員稱呼他Father，一般中文會譯為「神父」，但奧立佛是聖公會牧師，所以這裡翻為「聖父」，以免跟天主教的神父混淆。

第十七章

西緬從他眼前的頁面上抬頭，花了點時間想過一遍他讀到的東西，還有他先前對這位謙遜鄉間牧師的認識。瓦金斯告訴他，奧立佛・郝茲因為懦弱與逃兵被軍隊開除的記憶溜進他心裡。他納悶地想，新派心理學家是否能夠透過那種羞辱串起種種環節，連結到他後來變成的那個人。將來會有無限多的時間做這樣的推測；現在他只需要更多資訊。「他寫到妳給妳父親的信，告訴他妳在倫敦的遭遇，卻沒有包括細節。妳會告訴我嗎？」他問道。

「我不樂於回想這段。」

「我可以理解。我不可能知道那是什麼，不過狀況肯定很糟。」她點點頭。「我可以給妳別的東西，某種會讓妳快樂的東西嗎？」

「像是？」

「或許妳可以建議某樣東西。」

她看起來若有所思。「奧立佛的屍體發生了什麼事？」她問道。

「它現在在柯契斯特皇家醫院的停屍間。」

「你會讓它葬在家族墓穴裡？」

「我假定我會，」他回答，而他一說出這些話，就看出她的心思朝哪個方向去了。「妳有別的想法嗎？」

「有。我要你用約翰・懷特取代他的位置。他應該有像樣的埋葬。」這是個讓人震驚的要求。起初，西緬認為這不可能，但接下來他在考慮，這不會那麼難達成。他會監督採蠔人的屍體被放在一具棺木裡，並陪伴棺材到墓穴去。除了他以外，沒有人會知道誰在棺材裡。否則懷特就會被扔進貧民公墓。

「那奧立佛的遺體呢？」

火光在她黃色的絲質服裝上閃爍著，好像她就是火焰本身。「把他埋在你找到約翰的爛泥灘裡。讓他沉下去。而且在他身上綁重物，這樣永遠不會有人找到他。」

瓦金斯蓋住了他的耳朵。

她的計畫裡有某種平衡式的正義。除了平衡，他還能多提供什麼？「我會的。」他說道。有一陣子沉寂無聲。「現在妳會告訴我，妳發生什麼事嗎？」

「你有時間聆聽嗎？」

「我有的是全世界的時間。」

他坐在教區牧師的座位上，靜靜地期待。

「安妮寫的那張控訴字條，奧立佛把它寄到家裡，讓它看起來像是在控訴詹姆斯利用她，而不是他自己。」她說道，幾乎是自言自語，回憶過去。「嗯，事後在我看來是非常古怪的巧合，信到達的同一時間，她哥哥竟然就出了意外，然後第二天她竟然就企圖自殺。所以我去拜訪她，發現到發生了什麼事。」

「我懂了。」

「我發現安妮病得很重，當然，而且她說得很少，不過她說的話讓我懷疑我對詹姆斯不公平，根據那張紙條就指控他跟她有染。不過她有很多話沒說。所以當我聽到她康復了，而且搭上她能搭的第一班火車去了倫敦，我就知道我也得去。」她從一個水瓶裡倒了一點點水給自己。「首先，我決定擺脫任何跟著我來的追蹤者。喔，我是隻狡猾的狐狸，西緬。我自問，像安妮這樣的女孩結果可能在倫敦的哪裡？嗯，明顯得悲哀，不是嗎？如果妳是個被趕出門的女孩，或者沒有家庭支持妳，妳到頭來就會流落街頭，做唯一不要求經驗的行業。所以我放風聲說我要去柯芬園，這些可憐女人很多一直在那裡做她們那行。任何追蹤我的人都會猜想，我有她人在那裡的資訊。」

「妳非常細心。」

「確實是。但說實話，我根本不知道她在哪裡。對，她很有可能在街頭維生——但白教堂區、坎登或梅菲爾呢？那些地點生意川流不息，所以我反而計畫一趟搜索，靠著我從詹姆斯的保險箱裡拿出的一點錢輔助。作為第一步，我在一間大百貨店裡採購了一樣你們男人不會贊同的東西。」

「妳確定我們不會？」

「相當確定。」但接著她有些反悔。「大多數狀況下不會。唔，我們很快就知道了。」她停頓了一下。「那間大百貨店的店主也推薦了一位男性的服務，他在蘇活區後街的某間辦公室裡營業。那是在一名菸草商的店鋪樓上，在那個地方的煙霧跟倫敦普遍的悶熱空氣夾擊下，我以為我隨時都會昏倒。在那裡工作的男人是納桑尼爾．布倫特先生。『我根本不知道我真實的姓氏是什麼。我是在布倫特[42]被發現，他們就給我這個姓氏，因為這個姓氏就跟其他姓氏一樣好。』他這麼告訴我。」她重現了他的口音，就好像她是倫敦最粗野的流浪兒。

「那這個布侖特先生是何許人？」

「布侖特先生——或者你想給他什麼別的姓氏都行——描述自己是『包打聽』。基本上，如果你希望像追蹤受傷的公鹿那樣追蹤某個人，他就是你需要的人選。他是瘦削的類型，長得很高。某種程度上說很蠻橫。我告訴他，我希望找到我過去的一位僕人，我認為她讓自己惹上麻煩了。常見的那種麻煩。

「他在一張屬於他的椅子上坐下——那是整個房間裡唯一的座位，讓我站著，我想這有點不對勁。然後他開口了。『奇怪的是，小姐，幾乎每個穿過那扇門的人都告訴我一個故事，但到頭來真相卻是相當不同的另一件事。』我臉有點紅了，這讓我很氣自己。『所以，妳何不告訴我妳想找到這位安妮．懷特的真正理由，然後我們兩個一起假裝這是妳進來講的第一個故事？』」西緬的嘴皺了起來，忍俊不禁。「唔，我很惱怒，但至少他證明他有點頭腦。我告訴他實話。『真是惡魔般的故事，』他說道，雖然我想他是自言自語而不是對我說。『可憐的蕩婦。去妳的住宿處吧。我會帶去我能找著的東西。我會用庫利安先生的名義上門。其他任何人去找妳，就開始尖叫到震垮房子。記住：庫利安先生。』

「『如果有人不請自來，我會用這個，不會用我的尖叫聲，』我說道。然後我打開我的手拿包，讓他看到我那天下午在大百貨店裡買的東西。那是一把相當漂亮的四發暖手筒手槍[43]，你明白吧。稱手的小玩意，完全能夠放進我的暖手筒裡。直到你腦袋中了一兩顆子彈為止，你不會知道它在那裡。」她凝視的目光鎖定了西緬。「現在你怎麼想？」

「現代生活的一項必需品。」他聳聳肩說道，假設她希望得到一種比較尖銳的反應。

「喔，是的。」然後她略略偏著頭，對瓦金斯說話。「抱歉，父親，我知道你是要把我養成做刺繡女紅的人，但時代改變了，不是嗎？」

瓦金斯嘗試回答，卻失敗了，又陷進自己的世界裡。

「無論如何，我就這樣回到我的包膳民宿去等待。你知道嗎，西緬，有一支軍隊生活在倫敦街頭，因應任何男女對他們的需求。為了一筆小小代價，他們會在整個城市裡散開，去醫院、酒館與僕役出入口，詢問任何你給他們的名字或描述。他們聽說的大多數會是胡說八道，不過到最後會有一個人帶著真相回來。」

「我不知道這點，不。」他說道。

「這是真的。幾天以後，納森尼爾把我尋找的東西帶來給我。那是南瓦克聖喬治原野的一處地址。」

聖喬治原野。他立刻理解了。對，他自己見過那個地方，對於住在那裡的任何人都很同情。「我可以猜到妳講那個地址的意思。」

「我想你可能懂。嗯，納森尼爾問我是否了解那些地方。我告訴他我曾讀到過，但從沒想過我會造訪其中一個。『不，小姐，不是很多人會這樣做。』

「第二天，我就搭一輛出租馬車朝那裡去。」

---

42 布倫特（Brent）是倫敦西北部的一塊區域，在一九六五年成為自治市。

43 這種手槍很小，可以藏在暖手筒裡，所以叫做暖手筒手槍（muff pistol）。

西緬插嘴了。「抹大拉悔改娼妓收容醫院[44]，」他說道：「妳不會忘記那個名字。」

「是不會。所以，我站在那棟看起來很像監獄的磚造大樓前面。」在她的玻璃牢房裡，她用她的手比劃出那棟建築的前緣。「你看過裡面嗎？」

「沒有。不過我的醫學界兄弟們告訴過我很驚人的故事。」

她點頭表示理解。「那裡全都上了鎖又有柵欄，窗戶上有木製百葉窗，好讓任何人都看不見裡面。那是為了制止收容人從醫院這裡做起買賣。」

「我聽說是這樣。」

「男人似乎從觀看墮落女子之中得到某種刺激。我那時很納悶，不知道詹姆斯會不會覺得這樣很刺激。」她輕輕地搖頭。「但我偏離重點了。我大步走向大門，編造了某個故事，說想要對收容所做點貢獻，但要求先參觀。我盡全力讓自己聽起來像你，父親，被告席裡有犯人的時候，你總是不可一世，趾高氣揚。」

在這裡，瓦金斯召喚出他最後一點殘存的尊嚴。「那是法律，佛羅倫斯。法律必須被尊重！」

這是西緬所知的第一次，她的脾氣徹底失控。「法律？哈！」她吼道，用她的手掌用力擊打玻璃。「是你的法律把我關進這裡！你的法律，意味著我永遠不許被放出去。那不是很正確嗎？我在這後面是因為瘋狂還是謀殺，根本沒有差別，對吧？我還在這裡。而且我會一直在這裡，直到我死！」

瓦金斯揉著他的眼睛。「我很抱歉，我的女孩，」他說：「我被騙了。」

「先生，你不是唯一一個，」西緬告訴他，企圖讓狀況冷靜下來。「在你之前與之後，還有一長排的人。」

瓦金斯藉著致謝來接受這番話，而他們注視著佛羅倫斯的胸脯隨著壓抑的激烈感情起伏。她轉身背對他們，過了一會她才回來，眼中有一股更冰冷的憤怒。

「我會回到故事上。但我們會談一談，父親。我們會談一談。」瓦金斯迎向西緬凝視的目光。「一個瘦削、貪婪的女舍監——我看得出她期待讓自己發點財——答應了我的要求，而我問了她幾個她樂於回答的問題。你知道那裡每三個收容人裡就有一個在十三歲以下嗎？」

「這讓人作嘔，」西緬同意：「最糟的是我們對此做不了什麼。她們的家庭別無選擇：不是那樣就是挨餓。」

「嗯。好。我把對話轉向懲罰那些沒有完全悔改的收容人。那女人鬼鬼祟祟地看著我。我本來不該問到那種事。『有天堂也有地獄。神有賞也有罰，我們身為祂的工具，也必須有。』我說道。她告訴我某些小小虐待——削減食物，不准說話，把每天轉動洗衣房軋布機的工作時數從十四小時增加到十六小時。『那全都聽起來很瑣碎，』我說：『那樣不會改變一顆淫蕩的心。』然後我說了某些陰沉的話，說要把我的錢捐到別處，她看起來很恐慌，便告訴了我某種他們稱為『苦房』的東西。我知道她本來不想說，因為納森尼爾．布侖特先前告訴我，那就是

44 抹大拉悔改娼妓收容醫院（Magdalen Hospital for the Reception of Penitent Prostitutes）是實際存在的機構，從十八世紀起在英格蘭、蘇格蘭、威爾斯、愛爾蘭各地都有成立，專門收容「墮落」婦女（娼妓、未婚懷孕者、無家可歸的少女等），雖然名為醫院但從不是真正的醫院，反而像是監禁性質的強迫勞動場所（工作通常是洗衣服）。倫敦的抹大拉醫院原本建立在白教堂區，後來在一七七二年搬遷到南瓦克的聖喬治原野。

我必須找的地方。『那是什麼？』我問道。

「『真正糟糕的女人去的地方。那些拒絕做自己的工作、或者犯下類似過錯的人。她們被沖冷水澡，然後單獨被留在那裡。我們只會把這招用在不能離開收容所的那些人身上。』

「『她們為什麼不能離開？』

「『各有不同理由，』她告訴我：『現在那裡有一個人被逮到搶劫了她的顧客。她哀求得厲害，以至於法官說他不會判她死刑，只要她來這裡，在神的面前悔改。』

「『一位思考非常有前瞻性的法官。』

「『是的，女士。』

「『為什麼她拒絕工作？』

「『說不上來。她不是快要死掉。那些快死掉的人，我們會放到街上去。』

「你知道嗎，她那樣說的時候徹底冷酷無情。」西緬一點都不意外。「『我希望能看看。』我希望能質問她，確定她的悔罪是真的。』我這樣告訴她。嗯，她當然試著打發掉我，但在我堅持之下她放棄了，帶我過去。在建築物裡繞來繞去以後，我們來到一條漫長通道盡頭的鐵門前。在我們靠近的時候，我可以聽到一種奇怪的聲響。那不盡然是說話或者啜泣聲。然後，在她打開門鎖的時候，我驚恐地看到那是什麼了。安妮在那裡，在地板上徹底一絲不掛，抱著她自己，她的牙齒打顫得厲害，以至於從她嘴裡發出的哀鳴被切斷成短暫的音符，像是某種瘋狂的鳴禽。

「『冷水浴，』舍監說。上天助我，她對此感到很驕傲。『很快就會讓她去工作了。去操作軋布機。』接著她大聲又緩慢地對安妮說話，就像對小孩講話那樣。『我們很快就會讓妳去工作。除非妳想掛在泰伯恩樹上。』

「聽到那句話，安妮第一次抬頭。她花了幾秒鐘才認出我，但她只是看起來很驚異。她努力想說話，卻辦不到。我想不只是因為她的牙齒打顫成那樣，也是因為她這樣過了一個月：先前她企圖自殺，她的哥哥失蹤，她逃到倫敦，因為賣春跟竊盜被捕、被關在這個殘酷的地方。在這一切之後，誰還能保持身心強健？」佛羅倫斯瞪著她的牢房側面，然後才回來說故事。「『我要帶走她，』我說，並在那女孩面前跪下，盡我所能溫柔地對她說話。『家。安妮，我們要回家了。』

「『我不懂，』舍監說道：『妳說什麼？』

「『我要帶她回到她母親身邊。除非妳要我寫信給每個人，從審判法官到坎特伯里大主教，告訴他們妳怎麼樣濫用他們對妳的信任，不然就去收集她的衣服，把那些衣服交給我，讓我帶她回家。』」佛羅倫斯對著那個回憶咧嘴笑了，那個微笑也飛向西緬的嘴。

「嗯，那樣嚇到她了。而在十分鐘內，我們就出了前門。」她凝視著圖書室上的那排窗戶，就好像她可以穿過它們，一路看到倫敦。「我們坐在聖喬治原野，在看得到收容所的地方，但我們背對著它。她太精疲力竭，沒辦法走更遠。『安妮，』我說：『我會帶妳回家。』她能做的就只有看著我。我們留在那裡一小時或者更久，沒有說話。我從一個小販那裡買了些小啤酒跟派，她吃得好快，讓我以為她會吐出來，那似乎讓她恢復了一點點，她終於能夠站起來跟我走了。神啊，我多麼希望我們的麻煩就這樣到了盡頭。」

「我有某種預感，它們只是開始。」西緬回答。

「你還真敏銳啊。唔，我們沿著街道前進，就算這是個溫暖的夜晚，安妮還是在發抖，這時我看到一個男人在街道的另一邊。他穿著黑衣，戴著一頂拉低的大帽子，他的臉用一條圍巾蓋住。假如我原本就認識他，那時候我也不可能認出他。我沒有理由注意到。安妮跟我從街道上出發朝著泰晤士河走，我們在那裡可以取道新蓋的橋梁過河。我忍不住回顧那間收容所，雖然那裡是個恐怖的地方。在我這麼做的時候，我看到那個黑衣男人還在我們後面，持續跟上。我所有的直覺都告訴我要盡快脫身，所以我拉著安妮的手臂匆匆離開。

「在我身後，我看到他停下來回顧他的來時路，那很奇怪。然後他舉起他的手臂，突然之間一輛馬車就沿著馬路朝我們加速而來。以那個車夫的車速，他一定是趕著去投胎。在馬車經過時，那男人靠雙腳跳到車踏板上，在車子朝我們衝來的時候掛在那兒。我沒法告訴你那景象多嚇人。」

「我確定很嚇人。」

「我大喊叫安妮快跑，我們衝向對面的一條巷子。如果她身體很健康，我想我們就會成功。但她太虛弱了，她對我來說就像腳鐐。馬車已在一碼之外了，而那個黑衣男人朝我們兩個撲上來，把我們撞翻在地。」她停止了一會，呼吸沉重，然後才冷靜下來，重新講起她的故事。「他用力踹安妮，我猜他想把她踢到不醒人事。那個車夫，一個金髮無賴，跳下了車廂，直接走向我，把我打得喘不過氣，而我感覺到他把我的雙手綁在背後，把一個頭套蓋到我頭上。」這幕畫面讓西緬感覺到一股強烈憤怒，男人把她當成獵物一樣地五花大綁。

「我聽到黑衣男人喊道：『把這些母狗弄進馬車裡。』接著我就被抬起來丟進去。『乖乖躺著，妳就不會受傷。』」

「我很想說我英勇不屈，西緬，但實際上我嚇得魂不附體。我問他們是誰，『與妳無關』

是我得到的唯一答覆。我感覺到我的頸背上有某種冰冷的東西，那是刀鋒邊緣，而我試著壓著自己遠離它，緊貼著馬車地板，就算我們一路上下顛頗，朝著……某個地方奔馳。那個男人在低吼：『快點，看在老天份上！快點！』我聽到他猛敲車頂。我想我的牙齒貼著地板差點裂掉。「現在停車！」他說道。然後我們突然停了下來。我可以聽到鳥叫。也許是河流，但那可能是我的想像。『好啦，這一回你會付我什麼？』我心想我們被賣掉了。如同你可以想像的，我嚇壞了。我們會被鎖起來嗎？被送到海外？被殺掉？但接著我理解了，因為這個蒙住臉的人在我耳邊低語。『唔，郝茲太太？』他說道：『妳認為妳值多少錢？』」

「所以他們在追蹤妳。」西緬說道。

「對，看來是這樣。而這比他們只是從街頭抓兩個輕易到手的女人，更讓我驚嚇不止五倍。『不，妳不能躺著輕鬆過日子。』他這麼說。我想他以為這樣很機智。我告訴他我可以替他弄到錢。『我父親很富有。而且他是個治安官，法律不會忘記我。』我說道。」

「『妳說，是一位治安官？喔，我知道這點，郝茲太太。一個酗酒的治安官。誰會在乎他？』」佛羅倫斯凝視的目光轉過去針對她父親。「我很納悶他是否認識你，父親。」

「喔，佛羅倫斯。」他呻吟道。

她手一揮就打發掉他的話語。「喔，佛羅倫斯根本沒有意義。我告訴他你是有朋友的人。『朋友？瓦金斯？哈！』他就只這樣回答。嗯，他的輕蔑加重了我的恐懼。他顯然不在乎法律或報應，所以我想像出我們眼前會有的種種苦難。我也有時間這麼做。我們在那裡等了感覺上像是好幾小時，而我根本不知道在那段時間裡發生什麼事，或者我們在等什麼，但我聽見遙遠的聲音——一輛馬車隆隆駛過，狗在吠叫。你知道，要是你擁有的一切就只有時間，時間就像壓在你身上的重物。我在那輛馬車，還有這間牢房裡，學到了這一點。」她瞪著她父親。「喔，到最後那男人再度開口了。『郝茲太太，我現在準備好對付妳了。』

「『拜託。』我說道。

「『妳愛怎麼哀求就怎麼哀求。我喜歡這樣。』對，看起來一切都完了。」

「不可能是這樣。」西緬說。

「確實不是。就在我想我們命運已定的時候，一切再度翻轉。」

「怎麼會？」

「因為當我躺在那裡，被綁起來，恐懼到不能呼吸的時候，那裡傳出我聽過最震耳欲聾的爆炸聲，就好像車廂自己都被炸開了。」她頓了一下，讓他們猜測。「尖叫，有人承受可怕的痛苦。我的心臟跳到嘴裡了，而我看不到發生什麼事。我盡可能大叫，我設法要掙脫雙手，但它們被綁得很緊。」西緬感覺他的脈搏加速了。「然後我感覺到一把匕首的尖端——我假定是貼在我脖子上的那一把——戳進我的手腕。『拜託，不要！』我喊出聲來，感覺到血從我手腕上流下。不過出現的聲音跟我預期中的不同。『沒事，郝茲太太。沒事，是我，安妮。』然後我手腕周圍的繩索爆開了。安妮把我臉上的頭罩拿下來，我可以看到馬車的地板了。而旁邊是那個跳到我身上的金髮粗漢。」她的嘴角殘酷地翹起。「我看到他的臉在那裡，不過其中一半不見了。我還看到我放在暖手筒裡的四發手槍。它在安妮手裡，而且擊發過了。」

第十八章

西緬迎向她的凝視。「買了這把槍對妳很有用。」

她的眼睛閃閃發亮。「我見識過狐狸被撕成碎片，看到這種場面不會讓我感到困擾。我一點都不在乎這個男人，他的臉被撕開了，還被甩到一邊肩膀上。安妮終於割斷其他繩索，我看到馬車裡只有我、她跟那個死掉的男人。」

「真不得了的時來運轉。」西緬說道。

「『另一個人呢？』我問安妮。『妳也擊中他了嗎？』

「『沒有，他跑了。』她指向打開的門。我看著外面。天色很暗，我們在泰晤士河旁邊一塊空曠的灌木叢裡。我往任何地方看都看不到他。我問她感覺如何。『好些了，郝茲太太。那是誰？』我說我不知道。你懂嗎，我必須想出來，而在那時，我從那個蒙面男人說過的話裡就知道，一切關鍵都在於發生在雷島上的事情。所以我必須知道真相。『安妮，』我說：『別人說是我丈夫……羞辱了妳。』她相當茫然地看著我。『是詹姆斯嗎？』

「她搖搖頭。『不，郝茲太太，』她說：『不，不是他。是教區牧師做的。』我就是這樣知道的。我就是這樣領悟奧立佛才是那個虐待她、謀殺約翰的人。『安妮，』我說：『我們需要……』但在我能講完話以前，她抓住了我的肩膀。『那邊！』她大喊。我猛然轉身。那個蒙著黑圍巾的男人拉開了馬車另一邊的門。事情還沒完。我把手槍從她那裡拿來，舉起它然後扣了扳機。喔，那聲音。」她微笑了。「那震動著我的耳朵，槍還往後跳，直接跳出我的掌心外，你明白吧。但透過槍膛的硝煙，我可以看到我擊中了他的肩膀——他的襯衫破破爛爛，還被他的血弄溼。不過我知道還沒完，因為他的眼睛，那仍然是我能在他身上看到的唯一部位，迎向我的目光，還瞇了起來。然後他打開了門。」

「聽起來這個男人感覺不到痛。」西緬說。

「他沒表現出任何跡象。他只是大喊：『過來這裡！』然後把他自己拉起來，而我握住手槍再度發射。這次他躲過了子彈。安妮在尖叫。他回到門邊，我知道這次我開槍必須要準，所以我吸氣，想像槍是我的手的一部分，然後朝著他延伸。槍直指著他的心臟。『這次我不會失手。』我對他罵道。他的眼睛鑽進我眼裡。他知道我說的是真話，而我開始把扳機往後壓。但在最後一刻，他讓自己往後退，脫離了馬車。我扣住我的手指。這是我的最後一彈，我需要它。」

「接下來如何了？」

「我聽到他的腳步聲跑遠。我等了幾秒鐘，才開始檢查外面。我看不到他，所以我舉著手槍爬到外面去。突然間他從馬車底下竄出來抓我，我連忙退開，匆匆爬上了馬車的車夫駕駛座。他已經站起來了，所以我抓住轠繩，馬往前跳，我們就跑了。」她的雙手舉在空中，好像興高采烈。

「佛羅倫斯。」西緬只能這麼說，這個故事深深觸動他。

「一次勝利，是的。」但接著一股比較沉重的氣氛落到她身上。「但維持不久。」

「怎麼會？」

她暫停了一會。「你讀完奧立佛剩下的日記會比較好。」

他低頭往下看。他差不多忘了他手上的零散頁面，因為他先前一直沉迷於他眼前活靈活現的追憶。

「我們需要讀每一個字嗎？」瓦金斯迸出這句話。「那男人是個謀殺犯。你必須讀出他的思想來表揚他嗎？」

「我想我必須這樣做，瓦金斯先生，」西緬回答。「真相會出現的。」治安官再度呻吟，順從地放下他的雙手。「那就讀吧。雖然像我這樣的人寧可把那本書丟進火裡。」

「也許事後我會這樣做。」

郝茲攔截到佛羅倫斯給她父親的信，因此得知她在倫敦下榻旅館的名字，從這裡開始繼續往下讀，就只剩下幾頁了。

就這樣，我不費吹灰之力，就有了她的地址：主教門，皇冠旅館。「父親。如同你能看出的，我現在待在倫敦的一間旅館裡，為的是我即將向你揭露的理由。」她的信這麼寫。接著她詳盡描述了她前幾天的努力。真是白費功夫，因為我會確保瓦金斯永遠不會被這封信的內容困擾。

提隆前一晚似乎企圖用暴力挾持她，還失敗了。如果我不能抓住她還有提隆享受過的那個村姑，我能怎麼對付她們？我決定了，答案是讓女王的和平維護者介入。

那個教區的警察治安官是個非常老的傢伙，可能許多年前就應該退休了，不過這是個無人感謝又低薪的差事，所以內政部長很難找到其他願意接手的人。我帶著必要的資訊去找他：我的弟媳，已知曾在狂怒的時候殺死了我弟弟，已經潛逃到倫敦，而非常奇怪的是，她把一個被定罪的娼妓從抹大拉收容所裡帶出來。我，身為她的教區牧師兼她的大伯，在她的父親，亦即本地的治安官委託下，要把她帶回家，她會在那裡面對兼顧正義與仁慈的處置。我也會把那位娼妓帶走，因為她來自我們教區，就此又把一個疾病散播者從警察治安官的登記簿裡移除。

這一切全都是真的，而且沒有作假見證，我對這個行動程序很滿意。

這是一篇證詞，代表了首都的索多瑪式罪惡本質，而我所說的一切幾乎沒讓任何人驚訝，那男人反而發了一通即時命令，要兩位警員陪伴我到主教門的皇冠旅館去帶回逃犯。他也會寫信給瓦金斯警告他，他女兒的心理狀態不穩定，並且解釋她現在處於我的照料之下，使他不必擔心。

我感謝他，回到我的租屋處。在路上，提隆去了某個靠近碼頭的可怕房屋。他出來時拿著一瓶強效鴉片、一只漏斗跟一根橡皮管，堅持它們會有用處。

為英國警力而感謝上主！這些男人很知道自己在做什麼——這就是為什麼，僅僅四小時後，我們的兩隻貓就被拖上前往柯契斯特的火車，又吐口水又嘶嘶作響，足以讓我重新考慮我是否能夠忍受這趟旅程。

「我會割斷你的喉嚨，你這婊子養的！」你可能以為會是個普通女孩尖叫出這種話，而不是一位治安官的女兒，但你這樣想就錯了。是佛羅倫斯吼出這種會讓路西法都轉身逃跑的咒罵。不過無論如何，我對這種反抗的表現是有備而來。忠誠的員警們幫助我架住她，直到我把漏斗跟橡皮管塞進她喉嚨裡，用鴉片酊弄昏她為止。神奇的玩意！就只要一分鐘，她就像個布娃娃了。另一個娼婦沒那麼麻煩，沒有掙扎就接受了她的飲料。我想她很享受。她們從那一刻起就順從得像打瞌睡的羔羊。

我預約了一個小包廂。我們這夥人似乎有點驚擾到警衛，不過我的正式服裝與警員們的出現，向他保證一切都「秩序良好」，如他所說。

就這樣，警方離開了我們，我們啓程了。經過可預測而無聊的幾小時，我們到了柯契斯特，在那裡雇用了一輛二輪輕馬車，而在提隆的要求下，車子在一個人跡罕至、靠近佩登玫瑰的路段放下我們。我問他為什麼想要在這裡下車。他指向那個村姑。「我想要享受她最後一次。這對你有什麼重要的？」

「如果你非要不可，」我說：「我會給佛羅倫斯另一劑藥。」

「好主意。」

我站在路邊等待，同時他背著那個女孩進入一片樹叢。佛羅倫斯在我腳邊。他去了三十分鐘，而我開始擔心我們會引人注意。到最後，我把我們的行李留在原地，抬起只有一半神智的佛羅倫斯去找提隆。「看在老天份上，」在我能在黑暗中辨物的時候，我對著他背後喊道：「我們必須走了。」但在我靠近的時候，我注意到我看不見那女孩了。

「她在哪裡？」我問道。

「我們再也不需要她了，」他說著，拉著我的手臂，引導我朝馬路走回去。「她在安慰她哥哥，」他咧嘴笑了。「可能是用她唯一知道的做法。」

唔，我們少了她會更輕盈，這倒是真的，而且我回頭想想，警察治安官給瓦金斯的信——這時應該已經送到了——沒有提到我們帶上了那個村姑，所以沒有人在期待她。是，提隆再度做對了，雖然這是不是他的本意很值得懷疑。

在我們到家的時候，我派人去找瓦金斯，講述了佛羅倫斯如何被捕。加上她對詹姆斯的攻擊，她的心理狀態顯然很脆弱。他懇求我照顧她，而我同意了，說她在我的陪伴下一直很安靜。這要感謝我擁有的神奇藥物，她幾乎全程都沒有醒來。有一兩次她企圖說話，卻連一個音節都發不出。我告訴瓦金斯，我會安排良好的醫學監督。她會留在屋子裡。

所以，那天晚上，佛羅倫斯跟我在圖書室裡坐著，注視著彼此。「我會為妳建造某樣東西，」我告訴她。我撫摸她的頭，我很確定，到最後，她是喜歡這樣的。「某個給妳住的地方。」我給她更多鴉片酊，而她好好地喝了下去。當她放低了頭睡覺的時候，有種純粹滿足的表情，我在我們的父面前發誓，那是她前所未有的。

第十九章

讀到那裡，西緬放下了閱讀，抬頭看著佛羅倫斯。「他對我朗讀他的日記，」她說。「每天晚上。在他讀到結尾的時候，他會再度從頭開始。他總是慢慢讀他描述怎麼寄送來自安妮的字條，騙得我訴諸暴力的段落。是奧立佛的謊言割傷了詹姆斯的臉頰，讓他血液中毒，然後死在我懷裡。奧立佛很享受看我無助的樣子，他知道他對我們做了什麼。」

「心靈之痛是所有痛楚中最糟的，」西緬同情地說道。「我無法想像。」

「他們說隨著時間，你會習慣任何事。」

「他們是這麼說。」

「但『他們』撒謊，西緬。每天晚上，我必須聆聽他對我的苦難幸災樂禍，誇耀他如何偷走詹姆斯的生命。」她的臉色似乎變暗了。「每天晚上，我都在我血液裡放火——真正的火。某些晚上，我強壯到足以出口詛咒他，不過第二天他就會增加鴉片酊的劑量。如果我不喝，我會什麼都沒得喝。乾渴逼迫我喝下它。但我還是能夠憎恨。而你知道隨著時間過去，發生什麼事？」

那很明顯。「我想妳對鴉片酊免疫了。」

「正是如此。我的思緒變得比較清楚了，我的意念變得比較敏銳。但我不能洩露。我不能讓他知道我正在恢復自我。」

「妳很明智。」

「然而你理解，不是嗎，西緬？」

他點點頭。「我花了點時間才明白。第一次我看到這個玻璃，」他觸碰分隔他們的隔板，他的皮膚感覺冰冷。「我看到我自己的倒影在上面，我的雙胞胎。但我及時理解，我不是房間裡唯一有個替身的人。」

「那個領悟是什麼時候來的？」

「我在妳的指示下，去了紅燈籠的時候。我認為妳派我去那裡，是因為妳想要我理解奧立佛．郝茲跟提隆先生的關係。這奏效了。」

「他在喝他的睡前酒時，不時提到那個菸館。」她眼中有火焰。她在細細品味這一刻。

他從他外套裡拿出一張紙，上面有用紫色墨水畫出的一個男人肖像。「提隆的一張畫像，是那個地方的主人畫的。她不想再看見他了。」

「啊。」佛羅倫斯凝視著那張紙，凝視著沾染它的墨水。「她有天分。」

他必須同意。望進那雙被畫出來的眼睛裡，他看到那女人、以及所有見過他的其他人看到過的這名冷酷主角。「很奇怪，一張畫竟能夠抓住一個男人的本質，」他說道。「你可以直接看進他的靈魂。她說他內在空無一物。我想那是真的。」

「是的，」佛羅倫斯說：「這相當真確。」

他走向那冰冷的爐柵，把畫像丟進去，隨後不假思索就扔進一支點燃的火柴。「而且是在紅燈籠，我才理解到妳如何殺死奧立佛。」

「喔，別停下來，西緬，」她大笑。「請多說一點。」

「如妳所願。妳不是靠下毒殺死他，而是靠著奪走他的毒藥。」她笑得闔不攏嘴。「而他從不知情。不是嗎？」

「什麼？」瓦金斯問道，他徹底迷糊了。

「鴉片酊劑，」她快樂地問她父親：「你知道那裡面的確切成分嗎？」西緬告訴他。「正常配方包括白蘭地、鴉片、醋酸。」他知道她要導向何處，不過他讓她享受這個喜悅的時刻。

「正確。而你知道它是怎麼施用的。」她提示道。

「用喝的。溫的或冷的。」

「但是……」

「但是一個人必須用力搖晃瓶子。對，我去鴉片菸館的時候有人提醒我這個事實。」

「所以，你確實看到了。」她讚許地說道。

「是的。」他對瓦金斯開口，解釋了那名老人不理解的事，他的凝視卻沒有離開佛羅倫斯。「你得搖晃瓶子，因為鴉片會沉澱在瓶底。沒搖晃的話，上層的飲料就是純白蘭地，渣滓是純鴉片。」他的眼睛探索著她的面容，她的臉頰，她的下巴。「一年前，當他還允許你跟他一起坐在這房間裡的時候，妳倒了一瓶鴉片酊到他的白蘭地裡。」她深吸一口氣，就像在飲進舊時光。「起初這不會有什麼差別，因為他從酒桶頂端撈取酒精，鴉片在底部，隨著他一路往下喝，他吸收的劑量越來越高。」

她臉上有一種遙不可及的神情。他知道記憶讓她振奮不已。「他那時弄掉了他的眼鏡，」她說道，她的聲音漂蕩著穿過溪流。「他沒有眼鏡就幾乎瞎了，所以他在地板上到處找，喔，找了十或二十秒吧。我倒進了他用來弄昏我的鴉片酊，給它一段時間擴散，然後用酒桶裡的內容重新填滿瓶子。」她暗自竊笑。「不過我的瓶子裡面幾乎沒有任何鴉片了。」

「而到了那桶酒的末尾，他在喝的是純鴉片，」西緬補充，想像著那男人舀他的酒的畫面。「他必定有嚴重的癮頭，卻完全不知道。」

「他必然如此。」

「然後到了上個月底，他喝完那桶酒，一夜之間他的供應就被切斷了。他關節灼熱，還嘔吐──那是他的身體在哭喊著要那種藥。」

「不過什麼都沒得喝了。」

「不過什麼都沒得喝了，」他覆述。「這可能還不會殺死他，可能只會讓他飽受劇烈疼痛摧殘。但到頭來他的心臟不行了。而且絕對不會有最少的一丁點證據，證明有任何不自然的事情發生過。」

房間裡一陣寂靜。「一個女人日夜坐在這裡，」佛羅倫斯對他說道：「她有的是時間思考。有的是時間想辦法，西緬。」最輕盈的微笑沿著她的嘴唇漾開。「有這麼多時間想辦法。」

（完）

【ECHO】MO0088

沙鐘屋1881

作　　者❖蓋若斯・魯本 Gareth Rubin
譯　　者❖吳妍儀
封面設計❖張　巖
內頁排版❖HAMI
總 編 輯❖郭寶秀
編　　輯❖江品萱
行銷企劃❖力宏勳

國家圖書館出版品預行編目(CIP)資料

沙鐘屋1881 / 蓋若斯・魯本（Gareth Rubin）著；吳妍儀譯. -- 初版. -- 臺北市：馬可孛羅文化出版：英屬蓋曼群島商家庭傳媒股份有限公司城邦分公司發行, 2025.05
面；　公分. --（Echo ; MO0088）
譯自：The turnglass
ISBN 978-626-7520-82-6（平裝）

873.57　　114003654

事業群總經理❖謝至平
發 行 人❖何飛鵬
出　　版❖馬可孛羅文化
台北市南港區昆陽街16號4樓
電話：(886)2-25000888
發　　行❖英屬蓋曼群島商家庭傳媒股份有限公司城邦分公司
台北市南港區昆陽街16號8樓
客服服務專線：(886)2-25007718；25007719
24小時傳真專線：(886)2-25001990；25001991
服務時間：週一至週五9:00～12:00；13:00～17:00
劃撥帳號：19863813　戶名：書虫股份有限公司
讀者服務信箱：service@readingclub.com.tw
香港發行所城邦（香港）出版集團有限公司
香港九龍土瓜灣土瓜灣道86號順聯工業大廈6樓A室
電話：(852)25086231　傳真：(852)25789337
E-mail：hkcite@biznetvigator.com
馬新發行所城邦（馬新）出版集團【Cite (M) Sdn. Bhd.(458372U)】
41, Jalan Radin Anum, Bandar Baru Seri Petaling,
57000 Kuala Lumpur, Malaysia
電話：(603)90563833　傳真：(603)90576622
E-mail：services@cite.my
輸出印刷❖前進彩藝股份有限公司
初版一刷❖2025年05月
定　　價❖660元（兩冊不分售）
定　　價❖462元（電子書，兩冊不分售）

ISBN：978-626-7520-82-6（平裝）
EISBN：978-626-7520-85-7 (EPUB)

城邦讀書花園
www.cite.com.tw